AF496764

Historische

und

geographische Studien

zum

angelsächsischen Beóvulfliede

von

Hermann Dederich.

—⊷⊶—

KOELN 1877.

Verlag von C. Roemke & Cie.

Seinem Vater

Prof. A. Dederich,

Gymnasial-Oberlehrer in Emmerich,

widmet auch diese Schrift

in treuer, dankbarer Sohnesliebe

Der Verfaszer.

Vorwort.

Vorliegende Schrift lag bereits seit Jahresfrist vollendet im Pulte, und immer wolte der Entschlusz noch nicht in mir reif werden, dieselbe herauszugeben. Die zurückhaltenden Motive lagen teils in einer gewissen bescheidenen Scheu, auf diesem so schwierigen Felde meinen noch so gar unberühmten Namen mit denen der berufensten Kritiker und Forscher in Konkurrenz treten zu laszen, teils in einer an Widerwillen grenzenden Aversion gegen das heutzutage in gelehrten Kreisen sich breitmachende Koteriewesen, vor dem ein junger Schriftsteller, mag er auch noch so redlich gearbeitet haben, nur dann Gnade zu finden hoffen darf, wenn er sich der einen oder der anderen „Zunft" rücksichtslos in die Arme wirft. Jedoch der Zuspruch älterer gelehrter Freunde, besonders meines Vaters, des G. O'. Prof.' A. Dederich, der mir hier wie immer in wahrhafter Weise Vater, Lehrer, Freund in einer Person gewesen, vermochten mich endlich, mein Manuscript einer erneuten Durchsicht zu unterziehen und alsdann getrost der Presse zu übergeben. So trete das

Werkchen denn in die Oeffentlichkeit, und möge
es, je nach seinem Werte und seiner Bedeutung,
worüber die Herren Fachgenoszen ihr Urteil
fällen mögen, sein Scherflein beitragen zum
näheren Verständnis einer der wundervollsten
Erscheinungen der germanischen Volkspoesie.

Schon seit Jahren zog mich neben dem
sprachlichen Interesse, welches mich als werden-
den Fachmann zuerst leitete, vor allem der echte
würzige Hauch germanischer Volksdichtung an,
der aus dem wunderbaren Lied von den Taten
des herlichen Geátenhelden Beóvulf dem Leser
entgegenweht, ein Duft, der trotz der versuchten geistlichen Verpfuschung durch die gestellten
Schranken hindurchbricht und in ursprünglicher
Fülle woltuend das für echte Poesie empfäng-
liche Herz labt. Doch der ganze und volle
aesthetische Genusz einer Dichtung entquillt
erst einem tüchtigen sachlichen Verständnis derselben, und so habe ich denn zunächst auf den
mythischen Gehalt des Liedes, dann vorzüglich
auf die historischen und geographischen
Verhältnisse in demselben mein Augenmerk
gerichtet. Auf diese Weise ist denn, da die letzteren
mich aus begreiflichem Interesse ganz besonders
beschäftigten, allmählich aus diesen Studien ein
kleines Buch erwachsen, welches zunächst einzelnen Freunden und dann auch auf ihre freund-

liche Anregung mir selbst der Veröffentlichung
nicht unwert erschien.

Die literarischen Hülfsmittel sind in der Einleitung in ziemlicher Vollständigkeit, wie ich
hoffe, angegeben; vielleicht mögen mir einige
neueste Erscheinungen, von denen die Kentnis
nicht zu mir gedrungen ist, entgangen sein: es
wird ja grade neuerdings im Beóvulf recht rüstig
gearbeitet.

Bei flüchtiger Durchsicht der Aushängebogen
sind mir grade keine sinnstörenden Druckfehler,
aber einige Ungleichheiten in der Schreibung
der Namen, sowie in der Orthographie überhaupt aufgefallen; auch bin ich in der Schreibung einiger angelsächsischer Formen, verführt
durch das subjective Verfahren der einzelnen
Herren Herausgeber von ags. Denkmälern, mir
nicht immer konsequent geblieben.

Zum Schlusze fühle ich mich noch veranlaszt,
der verehrlichen Verlagshandlung für ihre uner-
müdliche Sorgfalt und Zuvorkommenheit, sowie
der Druckofficin für die schöne Ausstattung des
Werkes an dieser Stelle meinen aufrichtigen
Dank abzustatten.

Köln, im August 1876.

Der Verfaszer.

Inhalt.

[illegible]

[illegible]

I. [illegible]
1. Die [illegible]
2. Die [illegible]
[illegible]
Die [illegible]
[illegible]

II. [illegible]
[illegible]
[illegible]
[illegible]
[illegible]
[illegible]

Historische und geographische

Studien

zum angelsächsischen Beóvulfliede.

Einleitung.

Dasz in unsere nationale volksmäszige Heldendichtung (— ich denke an die **germanische Heldensage** in ihrem weitesten Umfange —) bereits frühzeitig historische Gestalten und Beziehungen eingedrungen sind, die teils mit der mythischen Grundlage zu vollkommener Einheit verschmolzen und von dem verklärenden Glanze der Sage umwoben sich uns darstellen, teils auch als blosze Reminiscenzen von flüchtigen Ueberarbeitern vielfach zusammenhanglos in den Stoff hineingearbeitet und fast stets erkenbar eingeschachtelt erscheinen, — das ist eine unleugbare, von allen Forschern auf diesem Gebiete anerkante Tatsache. Armin, Germaniens Befreier, der nach Tacitus' Zeugnis (An. II. 88) von unseren Vorfahren noch zu des genanten Historikers Zeit in Liedern gefeiert wurde, erschien in jenen Heldengesängen sicherlich nicht ohne durchgreifende Anlehnung an den göttlichen Jrmin, [1]) und die historischen Gestalten und Beziehungen besonders in den letzten Ueberarbeitungen

---

[1]) Vgl. auch J. Grimm, Gesch. d. deutsch. Spr. 614.

unserer groszen Nationalepen, des Nibelungenliedes und der Kudrûn, sind vielfach, ihres mythischen Charakters entkleidet, von Forschern unserer Tage in ihrer Identität mit geschichtlichen Erscheinungen festgestellt worden. Wo die historische Beziehung nicht speziell in und mit der Sage wurzelt, wo ein Ueberarbeiter seine Erinnerungen aus der Volkstradition oder anderen ihm zugänglichen Quellen wol oder übel anbringt, da ist uns die Arbeit mehr oder weniger leicht gemacht: finden wir uns doch hier der treflichsten Quelle, der gesunden Volksüberlieferung, gegenüber, deren poetische Zutat doch immerhin unschwer zu erkennen ist. Es ist aber nun bei beiden soeben angeführten Arten der mit der Sage verknüpften historischen Ueberlieferung natürlich vor allem eines festzuhalten, dasz nämlich die Volkssage nirgéndwo streng historisch und chronologisch verfährt: hervorragende Gestalten und Tatsachen, die oft der Zeit nach auseinander liegen, werden zu einánder gruppiert und mit einander verschmolzen nur in ihrer Geltung und Bedeutung für das poetische, sinnige, zu seinen Heldengestalten fromm und begeistert aufschauende und sie verklärende Volksbewustsein; diesem hat man also auch bei derartiger Forschung entschiedene und strenge Rechnung zu tragen. Und es ist warlich eine zwar schwierige, aber um so lohnendere Aufgabe, aus dem sagenumwobenen Bau germanischer Heldendichtung nach Abstreifung der schimmernden Sagenhülle das feste Mauerwerk, den eigentlichen Kern der Geschichte herauszuschälen, den Gewinn der Forschung teils an den Prüfstein der historischen Quellenüberlieferung zu halten, teils umgekehrt die letztere aus der Fülle regsten Volksbewustseins und gesunder Volksanschauung zu bereichern und zu stützen.

Ebenso ersprieszlich, wo möglich im einzelnen noch interessanter ist die Untersuchung über die geographischen Angaben in unseren Volksepen. Hier müssen wir uns zum Teil schon an blosze Andeutungen, ja an Namen anklammern, um im Vergleich mit der Quellenüberlieferung das Wahrscheinliche oder, im günstigsten Falle, das Sichere festzustellen. Dasz man auch hier stets sich an die Volksanschauung zu erinnern hat, deren innerem Wesen jedes trockene verstandsmäszige Schematisieren im Sinne unserer geographischen Genauigkeit vollständig zuwider ist, bedarf wohl kaum der Erwähnung.

In der Reihe derjenigen Volksepen nun, welche Mythisches und Historisches, in Verbindung mit zahllosen kleineren Einschachtelungen und Angaben geschichtlichen und geographischen Inhalts, in sich verarbeitet haben, nimt die hervorragendste Stelle ein das schönste der uns erhaltenen angelsächsischen Volksdichtungen, das Beóvulflied. Aber ehe wir an unsere Aufgabe, die Untersuchung über die historischen und geographischen Verhältnisse in diesem Liede herantreten, ehe wir ferner die Namen und Schriften derjenigen Gelehrten mit Dank erwähnen, die diesem Gegenstande bereits früher ersprieszliche Sorgfalt zugewant haben, halten wir es zunächst für nötig, hier in Kürze unseren Standpunkt zu den Fragen über den inneren Bau des Liedes, sein mutmaszliches Alter und die Heimat desselben näher zu kennzeichnen. Gar zu leicht dürfte ein achtloses Ausdemwegegehen, oder gar eine völlige Nichtberücksichtigung der über jene Fragen besonders in neuerer Zeit angestellten Forschungen nicht allein der uns gestellten Aufgabe wenig förderlich sein, sondern überhaupt die Möglichkeit jeder wiszenschaftlichen Untersuchung betreffs der von uns zur Bearbeitung erkorenen Verhältnisse in Frage stellen.

Dasz im Beóvulf kein einheitliches Kunstprodukt eines Dichters vorliegt, der mit schöpferischer Kraft den volksmäszigen Stoff in sich aufgenommen und als völliges Eigentum seines selbständig schaffenden Dichtergeistes in die äuszere sinliche Form gegoszen und zum Epos gestaltet hat, — darüber kann nach den scharfsinnigen Untersuchungen neuerer Gelehrten jetzt kein Zweifel mehr sein. Der erste wol, der in Betreff des Beóvulf an der Einheitstheorie rüttelte, der mit kritisch-philologischem Geiste wenigstens den Anfang machte zu einer ordentlichen Sichtung und Scheidung des Ursprünglichen vom Eingeschobenen, war unstreitig

Ettmüller.[1]) Er erkante zunächst die Hand eines letzten Interpolators und Ueberarbeiters, der, wahrscheinlich selbst Geistlicher, durch viele christliche und theologisierende Zusätze das ganze volksmäszige Lied zu christianisieren und den heidnischen Urtypus desselben zu verwischen suchte. Dasz Ettmüller in der Ausmerzung solcher zum teil herzlich schlechter und die Handlung in unwilkommener Weise aufhaltender Zusätze noch bei weitem nicht genug getan, dasz auch nach Ausscheidung der von ihm als das Machwerk eines (geistlichen) Interpolators bezeichneten Mönchsphrasen noch des Christlichen und Geistlichen genug übrig bleibt, um die ursprüngliche Weihe des Volksepos mit der Flut seiner öden Langeweile zu durchströmen und zu durchdringen, das hat die folgende von anderen angestellte Untersuchung satsam gelehrt.[2]) Alsdann hat aber auch bereits Ettmüller die Liedertheorie für unser Gedicht in Anwendung zu bringen versucht, zwar ohne vollgültige und bestimte Beweise

---

[1]) Beówulf. Heldengedicht des 8. Jahrhunderts. Zum ersten Mal aus dem Ags. in das Nhd. stabreimend übersetzt und mit Einleitung und Anmerkungen versehen. Zürich 1840. — Engla and Seaxna scôpas and bôceras. Anglosaxonum poetae atque scriptores prosaici. Quedlinb. et. Lips. 1837 (p. 95—130). Auch in seinem Handbuch der deutschen Literaturgeschichte (1851) gab er eine kurze Analyse vom Inhalt unseres Gedichts (p. 122—130).

[2]) Ueber die christliche und heidnische Welt- und Lebensanschauung im Beóvulf handelt A. Köhler, Germanische Altertümer im B. Pfeiffers Germania XIII, 129 ff.

zu liefern, aber die Andeutungen, die er darüber gibt, zeugen von feiner Beobachtung und tüchtiger Kenntnis des volksmäszigen Epos; die zahlreichen sog. Episoden, Stamsagen u. d. m. erkante auch er zum teil als Zutat von fremder Hand und setzte neun sog. Nebenerzählungen fest, unter denen wir übrigens manche Einschaltungen, die sich auf den ersten Blick als solche ergeben müszen, vermissen.

Der von Ettmüller eingeschlagene Weg wurde lange Zeit hindurch nicht weiter verfolgt; freilich bekent sich auch Simrock[1]) als Anhänger der Liedertheorie, aber er vermeidet jegliche nähere Andeutung und Auskunft und begnügt sich mit der einfach dahingestellten Versicherung, das Epos sei aus mehreren alten Liedern entstanden.

Zu gleicher Zeit veröffentlichten nun ihre Ansichten über die Entstehung und Zusammensetzung des Gedichtes Arth. Köhler[2]) und K. Müllenhoff.[3]) Der erstere freilich dehnte seine Untersuchung nicht weiter aus als über die Einleitung (1—52) und versucht es alsdann,

---

[1]) Beówulf, das älteste deutsche Epos übers. u. erl. Stuttg. u. Augsb. 1859.

[2]) Die Einleitung des Beóvulfliedes. Ein Beitrag zur Frage über die Liedertheorie; und: Die beiden Episoden von Heremôd im B. in Höpfners und Zachers Zeitschr. für deutsche Philol. II., 305—321.

[3]) Die innere Geschichte des Beóvulfs. Haupt's Zeitschr. f. deutsches Altertum XIV (der neuen Folge II), 193—244.

an zwei sog. Episoden des Liedes, denen von
Heremôd, praktisch zu zeigen, wie der Ueberarbeiter nach seiner Meinung verfahren ist, um
Bruchstücke alter Lieder, die ihm im Gedächtnisse oder schriftlich vorlagen, in das Epos
(— und zwar hier nicht besonders glücklich —)
zu verweben. Köhlers besonnene Forschung
gründet sich wesentlich, wie er selbst sagt, auf
formelle Momente, „auf Berücksichtigung des
Stils und Tons der einzelnen Teile des Epos,
auf Unterscheidung des entschieden volksmäszigen von den schon mehr kunstmäszigen Stellen
des Liedes, auf die Diction, auf das Vorkommen
altepischer, formelhafter Ausdrücke, auf die aus-
gesprochene Gesinnung, welche bald eine frühere,
bald eine spätere Abfaszungszeit anzunehmen
nötigt." In diesem Sinne billigt er nicht nur
die zu gleicher Zeit veröffentlichten und ihm
vor dem Druck seiner eigenen bereits nieder-
geschriebenen Arbeit noch zugegangenen Forschungen und Resultate Müllenhoff's, sondern er
glaubt in so fern noch darüber hinausgehen zu
können, als er die Behauptung aufstelt, dasz
der letzte Ueberarbeiter ebenfals mit Benutzung
älterer Lieder bei seiner Interpolation gearbeitet
habe, wie sich ihm das ja in einem einzelnen
Falle, bei der Untersuchung über die beiden
Episoden von Heremôd, bereits ergeben hat
(vgl. unten).

Auf völlig selbständigem Wege nun hat

mit unvergleichlichem Scharfsinn und durchdringender Kentnis der einzelnen Teile unseres Gedichts sowol als der volksmäszigen Poesie überhaupt Müllenhoff nach mehr als zwanzigjähriger Forschung wie uns dünkt in völlig klarer und überzeugender Weise das Gedicht in seine ursprünglichen Bestandteile zerlegt, die Zutaten gekenzeichnet, und ist so nach unserer Meinung für das Beóvulflied das geworden, was Lachmann für die Nibelunge und Homers Ilias, Kirchhoff für die Odyssee gewesen sind. Müllenhoff's Kritik, die sich in ähnlicher Weise bereits früher an der Kudrûn erprobt hat, stützt sich hauptsächlich auf innere Gründe: mit gewohntem Scharfblick prüft er den inneren Zusammenhang der einzelnen Teile unter sich, das Verhältnis der einzelnen Erzählungen zu einander, sucht die sich ergebenden Widersprüche, unnütze Widerholungen und Misverständnisse auf, die notwendig auf verschiedene Hände hinweisen, Mitteilungen und Andeutungen in einigen Teilen des Gedichts, die anderen Stücken desselben unbekant geblieben sind u. s. w. Seine Ergebnisse laufen auf folgendes hinaus. Das erste alte Lied reicht von v. 194—836 (I.) und enthält Beóvulfs Kampf mit Grendel; dieses erhielt bald eine Fortsetzung (II.) von v. 837—1628, die den Kampf Beóvulfs mit Grendels Mutter in der Tiefe schilderte, und beiden wurde num die Ein-

leitung (1—193) vorgesetzt, die von den Vorfahren und Geschwistern des Dänenkönigs Hrôðgâr, seinem Prachtbau und seinem Unglück
durch die Grendelplage handelte. Eine zweite
Fortsetzung (III.) v. 1629—2199, enthaltend
Beóvulfs Heimkehr, wurde durch einen
Ueberarbeiter A. hinzugefügt, welcher letztere
aber zugleich I., das erste alte Lied und besonders II., die erste Fortsetzung, an mehreren Stellen
interpolierte. Dieser Interpolator aber ist ein
durchaus befähigter Dichter, seine Zusätze zeich-
nen sich vor denen seines unmittelbaren Nach-
folgers durch poetischen Sinn, tüchtiges Verständnis seiner Vorlagen und volksmäszige Auffaszung vorteilhaft aus. Der letzte und
eigentliche Interpolator, von Müllenhoff
B. genant, in der Reihe der Bearbeiter des
Gedichts der sechste, fügte dem von A. bis
2199 geführten Werke noch das zweite alte
Lied (Beóvulf's Kampf mit dem Drachen
und Tod 2200—3183), an poetischer Auffaszung und Motivierung dem ersten überlegen,
hinzu, interpolierte aber nicht nur diesz sehr
stark, sondern auch das ganze von A. bereits
bearbeitete Werk in allen seinen Teilen. Dieser
zweite und letzte Ueberarbeiter ist der eigentliche geistliche Interpolator des Gedichtes, der
Autor der vielen zum Teil schalen theologi-
sierenden Zusätze und der meisten wol oder
übel angebrachten Reminiscenzen und ausführ-

licheren Abschnitte aus Volks- und Stamsagen.
Aus dem Umstande nun, dasz sowol der erste
wie der letzte Ueberarbeiter den älteren (von
Müllenhoff nunmehr herausgeschälten) Text mit
Aenderungen verschonen, kann man schlieszen,
dasz dieser Text nicht nur B., sondern
auch schon A. in schriftlicher Aufzeichnung vorlag; damit mag schon der Anfang
gemacht worden sein, als die Einleitung an I.
und II. angefügt worden war, und diesz schon
ein Ganzes zu werden versprach.

Die Zusätze beider Ueberarbeiter sind von
Müllenhoff in geistvoller, feinsinniger Weise
aufgefunden und kentlich gemacht worden, und
mit seiner Kritik erklären wir uns nunmehr
mit Rieger[1]) der Hauptsache nach und fast
in allen Einzelheiten in Uebereinstimmung.
Mag bei manchen seiner kleineren Athetesen
etwas gar viel Subjektivität vorgewaltet haben,
vielleicht auch einmal der Anfang oder der
Schlusz eines Liedes etwas anders und vielleicht
beszer bestimt werden können, so sind solche
Ausstellungen verschwindend geringfügig gegen
das gewonnene Hauptresultat, dem sich jeder
unbefangen Urteilende anschlieszen wird, und
wodurch Müllenhoff seinen übrigen groszen
Verdiensten um die deutsche Sprache, Literatur

---

[1]) Zum Beóvulf. Zeitschr. f. deutsche Phil. III., 406. Nicht
so urteilt Bugge, Ebendas. IV., 203.

und Altertumskunde ein neues unvergängliches angereiht hat. —

Die ältesten Bestandteile sind also die beiden alten Lieder I. und IV., der Kampf Beóvulfs mit Grendel und sein Kampf mit dem Drachen und Tod, beide von verschiedenen Verfaszern. Ueber die durchaus mythische Bedeutung dieser Kämpfe, die als symbolische Erklärungen jährlich widerkehrender physischer Vorgänge aufzufaszen und als solche dem Umkreise der allgemeinen Götteranschauung der nördlichen Germanenstämme einzureihen sind, ist im Verfolg der Untersuchung des weiteren gehandelt worden. Ihnen kommt an Alter zunächst gleich die erste Fortsetzung II., anzuschlieszen an I., der Kampf Beóvulf's mit Grendels Mutter in der Tiefe, entschieden eine berechtigte und natürliche Fortsetzung und Ergänzung des ersten Teiles des Mythus von Beóva-Freyr; alsdann die Einleitung, die widerum für sich besteht und weder von den Dichtern der beiden alten Lieder noch von einem der Fortsetzer oder Interpolatoren verfaszt sein kann. „Wer von den Vorfahren und Geschwistern des Dänenkönigs Hróðgâr und von seinem Bau und seinem Unglücke ausführlich Nachricht gab, konte darauf 194 f. die Geáten nicht ganz unvorbereitet einführen, und wer den Groszvater Hróðgârs v. 53 Beóvulf nante, später sich nicht eine Anknüpfung oder Hindeutung entgehen laszen, als Beóvulf der Geáte an Hróðgârs Hofe erscheint und die früheren Beziehungen beider Familien 459 ff. (vgl. 372) zur Sprache kommen." Der dänische Beóvulf wird nirgends mehr genant, obgleich doch der Held, der sich so grosze Verdienste um die Dänen erworben und gar von Hróðgâr adoptiert wird (946 ff. 1175 f. 1188 ff.), denselben Namen führt. Von den Geschwistern Hróðgârs (v. 61 f.) wird nur noch Heorogâr zwei Mal genant (467. 2158), aber nicht Halga und die an den Scylfing Ongenþeóv verheiratete Schwester Elan; und doch kent A. einen Brudersohn Hróðgârs Hróðulf (1017. 1164. 1181., vgl. das Wandererslied 45), der ein Sohn Halga's war, und B., der von der Mutter der Scylfinge Onela und Ohtere, der Gattin Ongenþeóvs redet, würde Elan doch auch hier genant haben, wenn er in der Einleitung ihren Namen aufgeführt hätte.

Das jüngste Stück ist ohne Zweifel die zweite, von A. angereihte Fortsetzung (III.), Beóvulf's Heimkehr zu Hygelâc, in der Reihe der einzelnen Bestandteile, besonders zwischen II. und IV. ein nötiges Mittel- und Bindeglied. Der ganze sprachliche Character sowohl wie die Art und Weise der Zusammenstellung sämtlicher Bestandteile bürgt uns aber auch dafür, dasz die Abfaszung dieser einzelnen Teile in der Zeit nicht so bedeutend auseinanderliegen kann;

ebenso dürfte der letzte Interpolator B. nicht viel später als A. gearbeitet haben. Wenngleich nun die Grundlage des Mythus durchaus heidnisch ist, so ist damit doch noch nicht gesagt, dasz die beiden ältesten Lieder zusamt der ersten Fortsetzung, so wie sie jetzt durch Müllenhoff's Kritik uns in der ältesten Gestalt vorliegen, in die Zeit des Heidentums hineinragen. Und wenn der Dichter der Einleitung, der nicht viel später als der Verfaszer der älteren Fortsetzung gearbeitet haben kann, nachdem er erzählt, wie Hrôðgâr so oft mit seinen Helden zu Rate geseszen (über die Beseitigung der Grendelplage) fortfährt (175—178): Manchmal taten sie in ihren Göttertempeln Gelübde, baten mit Worten, dasz ihnen der Geisttöter (der Teufel) Hilfe brächte wider das Volksunheil; so war ihre Sitte,[1] — so leuchtet doch aus dieser gänzlich unantastbaren Stelle hervor, wie dieser Dichter sich vollkommen bewust war, „dasz die Einführung des Christentums zwischen seine und die Zeit der Begebenheiten der Sage fällt." So wird die Abfaszung der einzelnen Bestandteile wol ohne Ausnahme in die erste Zeit der Einführung des Christentums bei den Angelsachsen fallen; und wenn sich B., der letzte Interpolator, vor den übrigen durch seine theo-

---

[1] Das Weitere, die Schluszverse der Fitte, ist schales, geistliches Gerede, welches B. in seiner Weisheit hinzufügen zu müszen glaubte.

logische Weisheit etwas hervortut, so ist doch
grade nicht damit gesagt, dasz er viel jünger
ist als A. und die übrigen Bearbeiter. „Wol
mehr als ein angelsächsischer König hätte
wenigstens in der zweiten Hälfte des siebenten
Jahrhunderts unter seinen Hofgeistlichen einen
gefunden, der sich des erhaltenen Auftrages
ebenso gut oder übel als B. entledigte.“

Um die Einführung des Christentums
bei den Angelsachsen bemühte sich vorzüglich
Papst Gregor I.[1]), der im Jahre 596 den
Mönch Augustinus mit 40 (?) Begleitern
nach Britannien schickte, und der Tätigkeit
dieses Mannes und seiner Nachfolger gelang es
bald, das Christentum in den kleinen angelsächsischen Reichen zu verbreiten, besonders
nachdem der mächtige Angelnkönig Bretvalda
Eádvin 627 dem Heidentum entsagt und die
Taufe empfangen hatte. Also um die Mitte
des siebenten Jahrh. können wir bereits das
Christentum in den angelsächsischen Reichen
allseits als verbreitet annehmen, und in der
zweiten Hälfte desselben Jahrh. blühte bereits
im Norden die geistliche Dichtung durch Cynevulf und Caedmon, während zugleich der
hochgelehrte Bischof Aldhelmus († 680) nicht
allein als ein Licht römischer Wiszenschaft und
Kunst glänzte, sondern auch in der Sprache

---

[1]) Beda Venerab. Hist. eccles. gent. Angl. II., 1. Vgl. Lappenberg, Geschichte Englands Bd. I. (Hamburg 1834) p. 187 ff,

seiner Heimat als Dichter bedeutendes leistete.[1])
Was die Sprache anbetrifft, so ist Caedmon
entschieden nicht früher, sondern eher noch
etwas später zu setzen, als der Beóvulf in
seiner jetzigen Gestalt, und selbst als Cynevulf;[2])
und wir werden wol das Richtige treffen, wenn
wir in der zweiten Hälfte des 7. Jahrh.
die Blüte und Pflege der geistlichen
Poesie im Norden ansetzen und gleichzeitig
oder noch etwas früher, also etwa um die
Mitte des Jahrh., die Blüte der Volkspoesie (und mit ihr die letzte Bearbeitung
des Beóvulf) im Süden und Südwesten
annehmen.[3])

Für die letztere Bestimmung der Heimat
unserer Faszung des Gedichtes haben wir einen
Anhalt in der Localisierung des Mythus von
Beóva und Grendel im Lande der Westsachsen.
Es werden in einer Urkunde des J. 931 im
südlichen England, in Wessex und Wiltshire,
erwähnt ein Beóvan hamm neben Grendles
mere, Beóvas Höhe in der Nähe von Grendels
Teich oder Sumpf, und etwas nördlicher hiervon

<hr>

[1]) Gúilelm. Malmesbur. de pontif. C. V.: Aldhelmus nativae
linguae non neglegebat carmina. — Teste libro Alfredi — nulla
aetate par ei fuit quispiam poesin anglicam facere posse. Lappenberg a. a. O., p. 175. Anm. 1.

[2]) Wir berufen uns hier auf die Aussprüche eines der hervor-
ragendsten Kenner der ags. Poesie und Sprache, Dietrich's,
Haupt's Z. IX., 212. X., 367.

[3]) Wol noch etwas älter ist das Wandererslied. Müllenhoff, Haupt's Z. X., 176. Vgl. unten im ersten Kap.

an der Severn in Worcestershire werden etwas
später aufgeführt[1]) ein Grindles bec und
Grindles pytt, Nachrichten, aus denen auch
für die innere Geschichte der Sage im weiteren
Verfolg der Untersuchung wichtige Ergebnisse
sich herausstellen werden (vgl. unten). Nicht
zu übersehen ist auch die Erwähnung des alten
anglischen Königs Offa (1931—1962), des
Ahnherrn der alten anglischen Könige von
Mercia [2]), den auch das Wandererslied (35)
ausdrücklich als König der Angeln aufführt.
Ohne weiteres setzt der Dichter dieses Stückes
(eingeschoben von B, Müllenhoff H. Z. XIV,
216 f.) die stolze Þrydo der milden Hygd
entgegen, spricht von Offa als Hemminges
maeg, ehe er ihn überhaupt noch genant hat,
und gibt in der ganzen kleinen Episode uns
auch nicht eine Andeutung über das Volk und
den Stamm, dem Offa angehörte. Es müszen
doch diese Personen in dem Kreise, in welchem
der Dichter dieser Episode lebte und verkehrte,
völlig bekant gewesen sein, so dasz ihm eine
nähere Angabe unnötig erschien. Auch dürfte
die Erwähnung der Merovinge (B. 2921, ein
Einschiebsel des Interpolators B), die freilich

---

[1]) Müllenhoff, Haupt's Zeitschr. XII., 282.

[2]) Die Liste der anglischen Könige von Mercia (Grimm,
Mythol. Anh. VII.): Vôden, Vihtlaeg, Vaermund (Gârmund),
Offa I., Angelpeóv, Eomer Icel, Cnebba, Cynevald, Creoda,
Vybba, Eáva, Osmôd, Eánvulf, Dhincferth, Offa II. († 796).
Vgl. unten II, Kap. 2.

an dieser Stelle in diesen Zusammenhang völlig
hineingehören, doch eine gewisse Beziehung der
angelsächsischen Reiche zu dem groszen fränkischen Reiche der Merovinge, dem mächtigsten
auf dem Festlande, andeuten. Somit weiset
alles auf den Süden Englands hin: hier hat
vor allem der letzte Interpolator seine Hand
an das ihm bereits vorliegende Werk gelegt,
hier werden auch seine Vorgänger gesammelt
und gearbeitet haben.

Aus ihrer alten Heimat in Schleswig-Holstein haben die Angeln und Sachsen ihren
Mythenschatz und eine reiche Fülle sonstigen
Sagenstoffs in ihre neue Heimat herübergenom-
men, und bei dem geringen Interesse, welches
hierselbst dem in viele kleine Reiche zersplitter-
ten und durch zahllose Fehden und innere
Unruhen zerrütteten neuen Vaterlande und
seiner unerquicklichen neueren Geschichte ge-
bürte und auch entgegengetragen wurde, flüchtete
sich der poetische Volksgeist zurück in die
heldenhafte graue Vorzeit und klammerte sich
nicht allein an die sagenhaften Ueberlieferungen
des eigenen, sondern überhaupt des gesamten
ingväonischen Stammes der germanischen
Völkerfamilie in seinem vollsten Umfange an,
an die Sagen der Stämme der cimbrischen Halbinsel sowol, wie der dänischen Eilande und des
übrigen Scandinaviens, der Völker am Ost- wie
am Nordseestrande süd- und westwärts ungefähr

bis zu den Mündungen des Rheines und der
Maas. So ist denn der eigentliche Mythus von
der Grendel- und Drachenplage und die Befreiung von derselben durch den Gott Beóva-Freyr,
dessen symbolische Bedeutung zunächst nur für
den altanglischen Boden gelten kann (vgl.
unten I. Kap. 2), um von ihm dann auf den
Boden des neuen Vaterlandes übertragen zu
werden, verflochten mit der Heldensage der
Dänen und Geáten, an die Stelle des göttlichen
Heros Beáva tritt der historische Beóvulf,
Ecgþeóvs Sohn, der Geáte, und das Local wird
die Prachthalle Heorot im Reiche des Dänenkönigs Hróðgâr und das Geátenland. Und
die zahlreichen Einschaltungen, die die Sage in
der neuen britischen Heimat der Angelsachsen
erfuhr, scheinen ebenfalls zum Teil Bruchstücke
alter, von den Interpolatoren oft genug an un-
schicklicher Stelle und in verkümmerter Gestalt
in den Text hineingebrachter Lieder gewesen
zu sein, die den Sagenreichtum der gesamten
ingväonischen Stämme uns erschlieszen, so besonders: der Ueberfall in Finnsburg, Sigmund
und Fitela, der Kampf zwischen Dänen und
Heaðobarden, die Episoden von Heremôd, die
Kämpfe der Geátenfürsten mit den Scylfingen,
und auszerdem unzählige trümmerhafte Reminiscenzen aus Volks- und Stamsagen. Das einzige, am frischesten im Gedächtnis des letzten
Bearbeiters lebende Ereignis, auf welches derselbe

nicht weniger als 4 Mal zurückkomt, der historische Zug des Hygelâc gegen Franken und Friesen und sein Fall (i. d. J. 512—520), mag dann noch von den Nachzüglern aus der alten anglischen Heimat, die noch weit bis in das 6. Jahrh. hinein ihren Stamgenoszen in das neu errungene Vaterland folgten, mit herübergebracht und von dem Interpolator für das Lied verwertet worden sein. —

Nachdem wir so unsere Stellung zu den Fragen über die innere Geschichte, die Heimat und das mutmaszliche Alter des Gedichts, vielfach, besonders in der zuerst berührten Frage, uns an bewährte Forschung anschlieszend, erörtert, erübrigt noch, uns des anderen Versprechens zu entledigen, nämlich einen möglichst genauen Bericht zu erstatten über die vielen und gediegenen Vorarbeiten, welche in unserer Bearbeitung, soweit jene uns zugänglich waren, benutzt sind.

Auf die historischen Elemente und geographischen Angaben in unserem angelsächsischen Volksepos richtete man bereits seit dem Bekantwerden desselben sein Augenmerk, obgleich eine annähernde Klarheit in diesen Dingen erst eine Frucht neuerer Bestrebungen zu nennen ist. Bereits der erste, der uns von der einzigen Handschrift des Gedichtes Kunde gab, Wanley[1]),

---

[1]) Catalogus historico-criticus (Oxford 1705) 218.

war sich nach oberflächlicher Einsicht nicht ganz klar über den in dem Gedichte behandelten Gegenstand. Er führt aus demselben v. 1—19 und 53—73 an und bemerkt alsdann: In hoc libro, qui Poeseos Anglo-Saxonicae egregium est exemplum, descripta videntur bella, quae Beowulfus quidam Danus, ex Regio Scyldingorum stirpe Ortus, gessit contra Sueciae Regulos. Auch in das historische Verständnis suchte seit seiner genaueren Kentnis der Handschrift einzudringen der gelehrte Däne Thorkelin[1]), nachdem bereits wenige Jahre früher (1805) Sharon Turner in seiner Geschichte der Angelsachsen einzelne Stellen veröffentlicht und den Gegenstand des Gedichtes bezeichnet hatte als den Rachezug Beóvulfs gegen Hróðgâr, wegen eines Todschlages, den dieser begangen; Thorkelin hatte schon während seiner Beschäftigung mit dem Liede und der Bemühung um eine Ausgabe desselben die Behauptung aufgestellt, diese „Scyldingis“ sei ein echt dänisches Gedicht, und der Verfaszer desselben sei ein Augenzeuge der Taten der Könige Hróðgâr, Beóvulf und Hygelâc gewesen und habe der Bestattung Beóvulfs beigewohnt, dieser selbst aber sei in Jütland i. J. 340 unserer Zeitrech-

---

[1]) Er veröffentlichte nach groszem Ungemach seine Arbeit unter dem Titel: De Danorum rebus gestis secul. III. et IV. poema Danicum dialecto Anglosaxonica. Ex bibl. Mus. Brit. ed. ..... Th. Havniae 1815.

nung gefallen.[1]) Zum ausgesprochenen Zwecke
der Glorificierung der altdänischen Geschichte
gründete nun der Däne Grundtvig auf Thor-
kelins Texte, den er an sehr vielen Stellen
berichtigte, seine gereimte dänische Uebersetzung[2]) mit einer langen Einleitung, die sich
auch in der angedeuteten patriotischen Weise
über den Gegenstand des Gedichtes verbreitete;
nur wenig Jahre früher[3]) hatte er die richtige
Ansicht von der Identität des in den fränkischen
Quellen genanten Chochilaic mit dem Geáten
Hygelâc aufgestellt. Auch in seiner späteren
für die Texteskritik sehr bedeutenden Ausgabe
des Gedichts[4]) hat Grundtvig in dem derselben
beigegebenen Commentar und in der warm
geschriebenen Einleitung vieles zur Aufklärung
geschichtlicher und geographischer Verhältnisse
im Liede beigetragen, wenngleich ihm, dem
patriotischen Dänen, hier sowol wie in der
früheren Uebersetzung grade wegen dieses eng-
herzigen Patriotismus und der forcierten Glorificierung der älteren dänischen Geschichte mancher Irrtum und manches Misverständnis mit
unterlief.

---

[1]) Vgl. den auch im nächst folgenden benutzten Aufsatz
Bouterwek's, Zur Kritik des Beóvulfliedes, Haupt's Z. XI.
p. 59. 60.

[2]) Bjowulfs Drape. Et Gothisk Helte-Digt fra forrige Aar-
Tusinde af Angel-Saxisk paa Danske Rijm. Kjöbenhavn 1820.

[3]) Dannewirke 1817. Bd. II, 284 ff.

[4]) Beówullfes Beorh eller Bjovulfs Drapen u. s. w. Kopenh.,
Lond. u. Leipz. 1861.

Eine bedeutende, bahnbrechende Leistung für die Texteskritik sowol wie für die Aufhellung so mancher dunkler, die Sage, Geschichte und Geographie betreffender Punkte war die Ausgabe von Kemble[1]), die auch in Deutschland, nachdem bereits Jac. Grimm in seiner Grammatik vielfach auf das Lied aufmerksam gemacht und manche vortreffliche Verbeszerung vorgeschlagen, zu weiterer Forschung anregte. Kemble leitete zunächst die Frage über Heimat, Ursprung und historischen Hintergrund der Sage auf eine richtigere Bahn, indem er behauptete, dasz das Gedicht wesentlich anglisch sei; dasz es in den poetischen Cyclus der Angeln gehöre und auf Sagen beruhe, die weit älter seien, als das Datum des Ms., welches sie enthalte, ja selbst vor der Eroberung Britanniens durch die Angeln existierten. Abgesehen davon, dasz besonders der erste Teil dieser Behauptung, wie wir oben gesehen, etwas allgemeiner zu faszen ist, so ist es noch auszerdem zu beklagen, dasz Kemble zum Beweise seiner Behauptung sich auf ganz bedenkliche Gründe stützte. Ausgehend nämlich von der Erwähnung des Offa, der im Wandererslied, wie bereits oben bemerkt, als König der

---

1) The Anglo-Saxon Poems of Beowulf, the Travellers song and the Battle of Finnesburh u. s. w. London 1833. 2. Aufl. 1835. Ein zweiter Band dazu: A Translation of the Anglo-Saxon Poem of Beowulf, with a copious Glossary, Pref. and Philol. Notes. London 1837.

Angeln bezeugt wird, liesz er sich dazu verleiten, auch die Hrêðlinge in Angeln umzu-
stempeln, ja er verstieg sich direct zu der
Behauptung, Geáten, Vederas u. s. w. seien einfach Angeln. Völlig verwirrt und gar falsch
ist seine Ansicht über das Verhältnis der Hygd
zu Hygelâc und beider widerum zu Offa,
dessen Gemahlin er als ungenante mythische
Person oder gar als Vaelcyrie im Palaste
Hygelâcs einherschweben läszt, der Unklarheit
betreffs der Unterscheidung des älteren und
jüngeren Offa nicht zu gedenken. Trotz dieser
Irrungen im Einzelnen hat sich Kemble ein
groszes nicht zu schmälerndes Verdienst um die
Aufhellung der in Rede stehenden Verhältnisse
erworben; auch in späteren Werken (The Saxons;
Cod. diplom. aev. saxon. u. a. m.) hat er manche
Beiträge und Zeugnisse zur Geschichte und
Kritik der Sage und der historischen Verhält-
nisse im Liede geliefert.

Kemble's Arbeit regte nun auch den For-
schungstrieb der deutschen Gelehrten mächtig
an. So ist H. Leo[1]) vielfach einzelnen offen-
baren Irrtümern Kemble's entgegen getreten
und hat in Bezug auf die historischen und
geographischen Elemente des Liedes viele und
gewichtige Zeugnisse und Vermutungen bei-

---

[1]) Beówulf, das älteste deutsche in ags. Mundart erhaltene
Heldengedicht nach seinem Inhalte und nach seinen historischen
und mythologischen Beziehungen betrachtet u. s. w. Halle 1839.

gebracht, denen wir freilich in Einzelheiten zum öfteren Anerkennung und Beipflichtung versagen musten.

Den Geáten verhalf wider zu dem ihnen gebürenden Rechte der Existenz Ettmüller, dessen anderweitige Verdienste um den Beóvulf wir bereits oben zu würdigen Gelegenheit hatten.

Von den nunmehr folgenden Herausgebern hat vorzüglich Benjamin Thorpe[1]) und von den Uebersetzern Simrock den historischen Elementen in unserem Liede eine gröszere Aufmerksamkeit zugewant, der erstere nicht allein in seiner Ausgabe des Liedes, sondern schon in früheren Werken und Ausgaben wichtiger Quellenschriften[2]), während die neuesten deutschen Herausgeber Grein[3]) und Heyne[4]) ihre Aufmerksamkeit mehr der Kritik und sprachlichen Erklärung zuwanten. Desto mehr aber ist in einzelnen Abhandlungen vieler Gelehrten für die Erklärung historischer Andeutungen und

---

[1]) The Anglo-Saxon Poems of Beowulf the Scôp or Gleemanns Aale and Fight at Finnesburh u. s. w. Oxford 1855.

[2]) Codex Exoniensis 1842. Ausg. d. Florentius von Worcester 1849 u. a. m.

[3]) Bibliothek der ags. Poesie in kritisch bearbeiteten Texten und mit vellst. Glossar u. s. w. 1857 ff. Der Beóv. i. 1 Bande. Eine Uebers. lieferte Gr. in den Dichtungen der Angelsachsen. Stabreimend übers. B. I. Eine Separatausgabe d. B. v. Grein erschien Cassel u. Göttingen 1867.

[4]) Beóvulf. Mit ausführl. Glossar herausgeg. Paderborn 1863. 3. Aufl. 1873. Eine Uebersetzung von dems. in fünffüszigen Jamben ebendas. 1863.

geographischer Angaben im Liede geschehen. Ich nenne an dieser Stelle hauptsächlich: M. Haupt [1]), welcher grosze Gelehrte nun auch nicht mehr unter den Lebenden weilt, J. Bachlechner [2]), Bouterwek [3]) und vor allem Müllenhoff [4]), dessen Leistungen auch auf diesem Felde als bahnbrechend bezeichnet werden müszen, ferner Grein [5]), Rieger [6]), Bugge [7]) u. a. m. Alsdann ist noch in vielen, z. t. historischen Werken auf unser Lied und seine geschichtlichen Andeutungen Bezug genommen; doch begnüge ich mich damit, zwei hervorragende Werke hier aufzuführen: „Die Deutschen und die Nachbarstämme" von C. Zeusz, und „Geschichte der deutschen Sprache" von J. Grimm, Werke, welche mir stets eine unerschöpfliche Quelle und wahre Fundgrube für die Kentnis altgermanischer Geschichte, Ethnologie und Altertumskunde gewesen sind.

---

[1]) Vgl. desselb. Zeitschr. f. deutsches Altert. V, 10.

[2]) Die Merowinge im Beóv. ebendas. VII, 524 ff. Pfeiffer's Germ. I, 297 ff. 455 ff.

[3]) Auszer der vorhin angef. Abhandl. noch Pfeiffer's Germ. I, 385 ff.

[4]) Die austrasische Dietrichsage Haupt's Z. VI, 437 ff. Sceáf und seine Nachkommen; Der Mythus von Beóv. Ebendas. VII, 410—441. Zeugnisse und Excurse zur deutschen Heldensage, H. Z. XII, bes. 259 ff. 282 ff. 287 f. 302 ff. 388. 413.

[5]) Die histor. Verhältn. d. Beóv. Ebert's Jahrb. f. rom. u. engl. Lit. IV, 260—285.

[6]) Zeitschr. f. deutsche Philol. III, 381—416.

[7]) Ebendas. IV, 192—224.

I. Nordische Völkerverhältnisse und Dynastien.

Cap. 1.

Die Dänen und die Dynastie der Scyldinge.

Drei Volkstämme sind es hauptsächlich, deren heroische Sagenzeit uns in dem angelsächsischen Volksepos vom Geáten Beóvulf vorgeführt wird: die Dänen (Dene) unter der Dynastie der Scyldinge, die Gauten (Geátas) unter der Dynastie der Hrêðlinge, die Schweden (Sveón), beherscht von den Scylfingen. Die anderen aufgeführten Volksnamen werden entweder nur in eingeschobenen Stamsagen und Episoden beiläufig erwähnt, oder sie erscheinen zu den drei genanten in untergeordnetem Verhältnis. Die Dänen nun, mit welchen wir uns hier zunächst beschäftigen, denken sich die Volksdichter des Liedes ausgedehnt nach allen vier Himmelsgegenden: Eástdene (Ostdänen) v. 392. 616. 828 u. s. f.[1]), Vestdene (Westdänen) 383. 1578, Sûðdene (Süddänen) 463. 1996, Norðdene (Norddänen) 783 u. s. f. Aber es sind in unserem Liede alle diese Namen gesetzt nicht etwa, um damit geographisch eine

---

[1]) Ich citiere nach Grein's Separatausgabe d. B. 1867.

strenge Scheidung einzelner Dänenstämme vorzunehmen, sondern teils um dieses Volk als einen zahlreichen, in der neuen Heimat um sich greifenden Stamm zu bezeichnen [1]), teils figurieren dieselben nur zum Zwecke der Alliteration. Man vergleiche z. B. folgende Stellen:

392: ealdor Eástdena, þät he eóver ädeln can ...

612: aerest Eástdena éðelvearde . . . .

383: tô Vestdänum, þäs ic vên häbbe . . . . . .

1578: þara þe he gevorhte tô Vestdänum . . . .

463: þanon he gesôhte Sûðdena folc . . . .

1196: lête Sûðdene sylfe geveordan . . . . . .

783: nive geneahte: Norðdenum stôd . . . . . .

Nicht anders sind auch gröstenteils Stellen in anderen Liedern zu nehmen, wie im Runenlied 67: [2])

Ing väs aerest mid Eástdenum . . . . . .

wo man sich allzuängstlich an die eingebildeten Ostdänen angeklammert hat. Ein bestimter Unterschied zwischen einzelnen Dänenstämmen wird dagegen im Wanderersliede gemacht: es nent v. 28 als Volkskönig der Seedänen (Saedene) den Sigehere, v. 35 Alevih als Herrn der Dänen, und v. 58 spricht der Sänger von seinem Besuche bei den Schweden, Geáten und Süddänen. Genauer und bestimter aber

---

[1]) Vgl. Grimm, Gesch. d. deutsch. Spr. 2. Aufl. p. 511.

[2]) Der Text dieses Liedes sowie des Wanderersliedes steht mir nur zu Gebote in dem trefflichen alt- und angelsächsischen Lesebuch von M. Rieger, Gieszen 1861 p. 136 f. 57 f.

unterscheidet Ælfred in seinem Orosius I, 1 zwischen Nord- und Süddänen. Bei ihm lesen wir [1]: be vestan Sûðdenum is þaes gâr-secges earm, þe lîd ymbûtan þaet land Brittannia, and be nordan him is þaes saes earm, þe man haet Ostsae, and be eástan him and be norðan syndon Norðdene aegþer ge on þaem mâran landum ge on þaem îglandum u. s. w. Also westlich von den Süddänen ist ein Arm des Oceans, der rings um das Land Britannien liegt (d. i. die Nordsee), und nördlich von ihnen ist ein Meeresarm, den man Ostsee nent, und östlich und nördlich von ihnen sind die Nord-dänen, sowol auf dem Festlande, als auch auf den Inseln. Ælfred unterscheidet, wie wir unten noch näher sehen werden, zwei Reiche der Dänen, ein nördliches und ein südliches, das erstere umfaszt Schonen, Halland und Seeland, das letztere die anderen kleineren dänischen Inseln (Fünen u. s. w.) Jütland und Schleswig; nur nimt er es mit der geographischen Anschauung nicht sehr genau, er denkt sich das (eigentlich östliche) Dänemark (Schonen u. s. w.) zu hoch nach Norden gerückt. Seine Nord- und Süd-dänen sind also im Grunde Ost- und Westdänen. Für die Zeit unseres Liedes komt aber jene Scheidung in Ost- oder West-, Süd- oder Nord-dänen noch nicht in Betracht: es sind dort jene

----

[1] Auch diesz nach Rieger a. a. O. p. 147 f.

Bezeichnungen zu nehmen als pars pro toto für den einen Stamm der Dänen, und es wäre vergebliche Arbeit zu nennen, wenn man über die Wohnsitze dieser vermeintlichen einzelnen Dänenstämme so wie ihre Beziehungen zu anderen Völkern die Discussion eröffnen wolte [1]).

Bevor wir nun die Angaben des Liedes über die Wohnsitze der Dänen, im Vergleich mit anderweitiger historischer Ueberlieferung, einer näheren Kritik unterziehen, sehen wir uns zunächst nach den anderen den Dänen im Liede zu Teil gewordenen Namen um.

Durchaus dichterische Ausdrücke sind die Bezeichnungen der Dänen als Gârdene (1. 1856.), Hringdene (116. 1279.), Beorhtdene (427. 609.) u. s. f. Auch ist der Name der Dynastie auf den ganzen Volksstamm übergegangen und die Dänen heiszen sehr oft Scildingas (30. 53. 59. 148 u. s. f.)[2]) und alsdann, teils zum Zwecke der Alliteration, teils zur Andeutung ihrer kriegerischen und sonstigen Eigenschaften Ârscildingas (464. 1710.), Sigescildingas (597. 2004.), þeódscildingas (die ein ganzes Volk bildenden Scildinge 1019), Herescildingas 1108.

Ungleich wichtiger ist eine andere Benenn-

---

[1]) Somit fallen Leo's Auseinandersetzungen über Süddänen und Vylfingen in sich zusammen (Ueber Beóvulf p. 55 ff.) Ueberdiesz liegen dort bei ihm mannichfache Misverständnisse und Irrungen vor. (Vgl. das 3. Cap. über die Vylfinge.)

[2]) So sind auch in der älteren Edda die Skioldûngar die Dänen (Hyndluliod 11. 14.).

ung der Dänen, die zugleich bedeutsam an alte mythische und historische Ueberlieferung anklingt. Der Dänenkönig Hrôðgar wird 1044 und 1320, in der ursprünglichen 2. Fortsetzung, genant eodor Jngvina, freá Jngvina, der Beherscher der Freunde oder Nachkommen des Jng. Der Name findet sich auch nur in der 2. Fortsetzung, dem jüngsten alten Bestandteil des Gedichtes. In der bereits oben angeführten Stelle im Runenliede ist Ing König der Ostdänen, d. h. der Dänen überhaupt. Die Ableitung u und v finden wir bereits angedeutet in der gotischen Rune Ingus [1]) und alsdann noch deutlicher ausgeprägt in den altnordischen Königsnamen Yngvi oder Ingvi, dem Ingvi der angelsächsischen oder nordhumbrischen Königsgenealogien, in dem Inguiomerus und den Ingväonen des Tacitus [2]), ferner in dem Inguo der Generatio regum et gentium [3]), in

---

[1]) Kirchhoff, Got. Runenalphabet p. 30. 47.

[2]) Der erstere war Armins Oheim Tac. An. I., 60. II., 17. 21. 45; die letzteren bilden den ersten der drei Hauptstämme der Germanen (Tac. Germ. 2.) Obige Form, nicht Ingaevones, ist die ursprünglichere, Müllenhoff in Haupt's Z. IX., 249. Doch läszt derselbe Gelehrte in seiner vortrefflichen Neugestaltung der Haupt'schen Ausg. d. Germ. (Berlin 1873) an der angegebenen Stelle die Form Ingaevones stehen; in den ebendaselbst aufgeführten Auszügen aus Plinius (N. H. IV., 27. 28.) setzt er aber, hier in Uebereinstimmung mit den besten Handschriften, Ingvaeonum und Ingvaeones in den Text.

[3]) aus dem Jahre 520. Vgl. Müllenhoffs Ausg. d. Germania, p. 163 f.

dem nordischen **Ingifreyr, Ingunarfreyr**[1]),
dem schwedischen **Yngvifreyr** und endlich in
vielen altdeutschen Mannesnamen **Ingvin, In-
gumar, Inguperht** u. s. f.[2]) Von dem
Eponymus **Ing** heiszt es nun weiter in der
erwähnten angelsächsischeñ Rune:

> Ing vaes aerest mid Eástdenum
>
> geseven secgum, ôþ he siððan êst
>
> ofer vaeg gevât, vaen aefter ran:
>
> ðus Heardingas ðone haele nemdun.

Also Ing war zuerst bei den Dänen, dann
zog er gen Osten über's Meer, sein Wagen rollte
hinten nach; so nanten den Helden die **Hear-
dunge**, d. i. die Dänen.[3]) Die Wanderung
Ing's geht nach Osten, und, da die angelsächsische Anschauung, wie wir bereits oben
sahen, es mit Norden und Osten nicht so genau
nimt, nach Norden. So gelangt er zunächst zu
den Schweden, wie das bereits aus dem Cult
des schwedischen **Yngvifrey** erhellt, von welchem Gotte dann noch weiterhin das nor-

----

[1]) so einmal in der älteren Edda, Lokasenna 43; in der Ynglinga saga 20: Ynguni.

[2]) Vgl. **Förstemann**, Altdeutsches Namenb. I, 786. **Müllenhoff**, Haupt's Zeitschr. IX, 250. **Rieger**, Ebendas. XI, 193.

[3]) **Rieger** a. a. O. 194: „Heardingas sind die Dänen selbst,
wie ihr Eponymus, Saxo's **Hadingus** = **Haddîngr** (Myth. 322),
der das Frôblôt bei den Dänen gestiftet hat (Saxo I. p. 16),
beweist." Ob damit die Ἀστιγγοι bei Dio Cassius 71, 12, die
Müllenhoff (Haupt's Z. XII, 347) als **Hazdînge**, d. i.
Hartunge deutet, und die spätere Hartungensage zusammenhängt,
laszen wir als für unsere Zwecke unerheblich hier dahingestellt.

wegische Königsgeschlecht der Ynglinge Namen und Ursprung herleitete. [1]) Und nicht allein bei Dänen und Schweden erscheint uns der Name in sicheren mythologischen Beziehungen, auch bei den Goten, resp. Gauten (Geátas) hat er Geltung nach einer Erzählung bei Saxo Grammaticus (Hist. Dan. VII. p. 329 sq. ed. Müller). [2]) Wir begegnen hier einem Unguinus, der Gotensium rex genant wird, und dieser „ist in einen Mythus verflochten, den Saxo in einer Menge von Varianten immer wider auftischt, und dessen wesentlicher Inhalt der scheint, dasz ein Held (oder Gott), da seine Braut im Begriffe ist, einem gewaltsamen Nebenbuhler (Riesen) anheimzufallen, plötzlich unerkant sich unter wüster Verkleidung einstellt und den Nebenbuhler erschlägt." Rieger. Seine dort angeführte Tochter Sygrutha ist identisch mit seiner Enkelin, der Hauptheldin der ganzen mythischen Erzählung, Syritha, und diese ist keine andere als die Göttin Freya, die demnach auch den Unguinus mit Frey verknüpft.

Nach diesen Nachweisungen musz also der Name der Ingvine, der Nachkommen des Ing, nicht allein für die Dänen, sondern überhaupt für sämtliche nordisch-germanische Stämme in

---

[1]) Vgl. Grimm, Deutsche Mythol. 1. Aufl. (leider steht mir keine andere zu Gebote) p. 206. Wachter, Art. Ingvi in Ersch' und Grubers Encycl. Sect. II. Bd. 18. p. 295 ff. Simrock, Handbuch der deutschen Mythologie 3. Aufl. p. 318.

[2]) bereits verwertet von Rieger, Haupt's Z. XI, 195 f.

der ältesten Zeit gang und gäbe gewesen sein, während bei Tacitus die Ingväonen in beschränkterem Sinne blosz die Bewohner der kimbrischen Halbinsel und die Anwohner der Nordseeküste (Friesen, Chauken) umfaszen.

Ein anderer Name der Dänen ist der nur einmal im ersten alten Lied an gänzlich unanfechtbarer Stelle [1]) vorkommende der Hrêðmen (gen. pl. Hrêðmanna v. 445). Der erste Teil der Zusammensetzung ist das ags. hrêð, gloria, hrêðe gloriosus, ahd. hruodi [2]), (griech. $\varkappa\varrho\acute{o}\tau o\varsigma$), und hiermit zusammengesetzt erscheint in angelsächsischen Denkmälern vorzugsweise der Name der Goten. So heiszt es im Wanderersliede v. 57:

Ic vaes mid Hûnum and mid Hrêðgotum,
ähnlich in Cynevulf's Elene 20:

Hûna leóde and Hrêðgotan.

In einer anderen Stelle (58) stellt er zusammen: Hûna and Hrêða here, und so (Hrêðas) heiszen sie auch im Wanderersliede v. 120: Hrêða here, d. i. das Heer der Goten des Eormanric, das dessen Thron gegen Atla's Leute

---

[1]) Eine Interpolation durch B. beginnt erst in der zweiten Hälfte der Zeile.

[2]) Sehr häufig in altdeutschen Namen: vgl. Graff, Althochd. Sprachsch. IV, 1053. Förstemann, Altd. Namenb. I, 715 ff. Personennamen mit dieser Wurzel sind auch häufig in heutige Geschlechtsnamen übergegangen: K. G. Andresen, Die altdeutschen Personennamen in ihrer Entwickelung und Erscheinung als heutige Geschlechtsnamen. Mainz 1873. p. 56 ff.

am Weichselwalde (ymb Vistlavudu) verteidigt.[1])
Es sind diese „ruhm- oder siegreichen Goten“
die Gotones des Tacitus, noch in ihren Sitzen
an der unteren Weichsel gedacht; eben dahin
werden jene Kämpfe mit den Hunnen von dem
angelsächsischen Dichter verlegt, obgleich die
historische Wirklichkeit sie zur Zeit der Hunnen-
kämpfe bereits südostwärts von den Karpathen
bis zum Schwarzen Meer und nach Südruszland
hin ausgedehnt kent. In der altnordischen
Poesie nun heiszen sie Hreiðgotar, und in
der Hervararsage wird Reiðgotaland in das
nordöstliche Deutschland und an Hûnaland
grenzend gelegt.[2]) Ahd. hruodi, ags. hrêðe
würde nun unbedingt altn. hrôðr lauten müszen;
dem alt. Hreiðgotar entspricht ags. Hraedgotan
ahd. Hreidgozun, und es ist wol mit Müllenhoff anzunehmen, dasz die Angelsachsen statt
des ihnen unverständlichen Hraedgotan ein ver-
ständliches Hrêðgotan gesetzt haben. So finden
sich auch neben vielen ahd. Namen mit Hruod-
(vgl. oben) auch solche mit Hreid-, Reit-, entsprechend also dem altn. Hreið-, dem ags.

---

[1]) Vgl. Müllenhoff, H. Z. XII, 260.

[2]) Grimm, Gesch. d. d. Spr. 515. Holtzmann erklärt
(Die ältere Edda u. s. w. Leipz. 1875) Vafþrúðnismal 12 með
Hreiðgotum: bei den Menschen, da oft der Volksname für
Menschen überhaupt stehe. Auch in der Ynglinga saga 21 komt
der Name vor für einen Teil der Goten und in der eben aufgeführten Hervararsaga steht ausdrücklich: er þat sagt, at Reiðgotaland ok Hûnaland se nu Thyðskaland kallat. Holtzmann
a. a. O. p. 275.

Hraed-. [1]) Gehen nun, um wider auf unsere eigentliche Frage zurück zu kommen, die eben angeführten altn. Bezeichnungen alle auf das Gotenland, resp. Deutschland, so ist es um so auffallender, dasz sonst in der altn. Poesie das Dänenreich für Reiðgotaland gilt, im Gegensatze zu Eygotaland, den zu Schweden gehörigen Inseln Oeland und Gotland, Skaldskaparm. 65. [2]) Und mit dieser Auffaszung stimt nun die Benennung Hréðmen für Dänen im Beóvulfliede. [3])

Was nun die Stamm- und Wohnsitze dieser Dänen betrifft, so sind wir behufs Fixierung derselben im Volksepos nur auf drei allgemeine Ausdrücke angewiesen, die nicht allein auf die Wohnsitze der Dänen, sondern überhaupt der im Liede vertretenen nordischen Stämme sich zu beziehen scheinen. V. 18, an einer von B. eingeschobenen Stelle heiszt es von Beóvulf, dem Sohne des Scild Scêfing:

Beóvulf väs breme (blaed vîde sprang)
Scyldes eafera Scedelandum in . . . . .

und 1684 ff. in einem echten Teile der 2. von A. angefügten Fortsetzung, sagt der Dichter vom Hrôðgâr, wie Beóvulf der Grendeltöter

---

[1]) Vgl. Müllenhoff a. a. O. Förstemann, Altd. Namenb. I, 1029. Herzuleiten von reid, reit, lockicht (a. v. hrîdan. rîdan, winden, drehen, ags. vrîdhan?)

[2]) Vgl. Rieger, Alt- und ags. Leseb. p. 286.

[3]) Grimm, G. d. d. Spr. p. 515 dachte bei den Hraedas an die Reudigni des Tacitus, Germ. 40 (von got. riads, σεμνός?).

demselben den Schwertgriff zum Geschenke macht:

> on geveald gehvearf voroldcyninga
> þâm sêlestan be saem tveónum,
> þâra þe on Scedenîgge sceattas daelde.

Etwas allgemeiner heiszt es v. 856 ff. (in einer von dem älteren und gewanteren Interpolator A. eingeschobenen Stelle), Beóvulfs Kampfruhm sei da verkündet worden, er sei der beste und des Reiches würdigste Krieger im Süden und im Norden be saem tveónum, an beiden Meeren, im Umkreis beider Meere. Dieselbe Bezeichnung kehrt wider an nicht interpolierter Stelle der 1. älteren Fortsetzung v. 1296 f.: dieser (der von Grendels Mutter geraubte Aeschere) war dem Hrôðgâr der Helden liebster als Gefolgsmann be saem tveónum, und endlich v. 1956 in der von B. eingeschobenen Episode von Offa, in welcher der Held der beste genant wird be saem tveónum. Hinzugefügt mag noch werden, dasz in der 2. Fortsetzung an zwei Stellen Beóvulf's Mannen genant werden (1850. 1986): Saegeátas, die an der Meeresküste wohnenden Geáten.

Also in ziemlich alten Teilen des Gedichtes, wenn auch grade nicht in der ursprünglichen Einleitung und den beiden alten Liedern begegnen uns die Ausdrücke be saem tveónum und Scedenîg; die erstere Bezeichnung wird auszerdem von beiden Interpolatoren gebraucht,

während der sagenkundige jüngere Interpolator,
der seine Reminiscenzen doch sicherlich aus
alten ungetrübten Quellen geschöpft hat, uns
noch eine der wichtigsten Benennungen bietet
für die Heimat der in Rede stehenden nordischen
Völker: Scedeland.

Alle drei Bezeichnungen sind an einander
zu halten und aus einander zu erklären. Zunächst leuchtet ein, dasz unter den beiden Seen
nicht etwa Mittelmeer und Nordmeer, sondern
nur die Ost- und Nordsee gemeint sein können:
das Land zwischen diesen beiden Seen und im
Umkreis derselben heiszt Scedeland und
Scedenîg. Der erste Teil der beiden Wörter
hängt zusammen mit ags. scâdan, sceádan (got.
skaidan, alts. skêdan, ahd. sceidan) [1]), vielfach
übergegangen in scêdan (doch vgl. ags. gescâd,
gescâdan) und scaedan, d. h. scheiden, trennen. [2])
Scedeland oder Scaedeland ist also eigentlich
Scheideland, Trennungsland, d. i. das Land,
welches Nord- und Ostsee von einander scheidet.
Scedenîg (Dat. Scedenîgge auch ohne Längen-
bezeichnung, da das geminierte gg genugsam
die Länge der vorhergehenden Silbe andeutet)
heiszt soviel als Trennungseiland, Trennungsinsel;
denn îg = eá Waszer, Waszerland, got. ahva,
(lat. aqua) altn. â, ahd. alts. aha, mhd. ahe

---

[1]) Das Richtige darüber bereits bei Leo, Ueber Beóv. p. 48 f.
[2]) Vgl. dazu griech. σχίζω, lat. scindo, caedo. Curtius,
Grundz. der griech. Etymologie 4. Aufl. Leipz. 1873.

(Ableitung ahd. ouwa, mhd. ouwe), also îgland
= eáland, Eiland, Insel. Trennungsland, Trennungsinsel, die Länder an den beiden Meeren,
im Umkreis der Nord- und Ostsee, jedoch besonders mit Bezug auf die Sitze der rein
nordischen, d. i. ingväonischen Stämme, alles
das sind unzweifelhaft Bezeichnungen für die
gesamten nordischen Lande, in denen sich die
Fäden unserer Sage abwickeln, für die kimbrische
Halbinsel sowol, wie für die dänischen Inseln
und den südlichen Teil Schwedens oder der
scandinavischen Halbinsel. Die Grenzen ver-
lieren sich somit nach Norden in den weiten
Flächen der nördlichen Strecken Scandinaviens,
die Ost- und Westgrenze und zum Teil die
mehr nach Osten sich hinziehende Südgrenze
sind durch die Fluten der Nord- und Ostsee
genugsam bezeichnet, nur die Landgrenze des
Scheidelandes nach Süden für die nach Deutschland hin offene Kimbrische Halbinsel wäre noch
näher zu bezeichnen.

Ein Langobardus Anonymus [1]), der die
Spur einer richtigen Kentnis gehabt zu haben
scheint von der eigentlichen Heimat seines
Volkes an der unteren Elbe, meldet: postquam
de eadem ripa (Vindelici amnis) Langobardi
exierunt, sic Scatenauge Albiae fluvii ripa
primis novam habitationem posuerunt. Diese

---

[1]) Vgl. Zeusz, Die Deutschen und die Nachbarstämme
p. 472. Leo p. 49.

(sächsische) Scatenauge, oder beszer Scâdenauge ist unzweifelhaft unser angelsächsisches
Scedenîg, und die Elbe bildet somit die Südgrenze des Scheidelandes nach dieser Seite hin.
Wenn ferner Fredegar Hist. Franc. c. 65 [1])
schreibt: Langobardorum gens, priusquam hoc
nomen assumeret, exientes de Schatanavia
[dazu bei Migne die Varianten Schandavia und
Schatanagia], quae est inter Danubium et
mare Oceanum, cum uxoribus et liberis Danubium transmeant, — so bricht aus dieser allerd-
dings sehr rohen und confusen Nachricht unseres
Erachtens die richtige Vorstellung von der Urheimat der Langobarden an der Elbe hervor,
wenngleich der Bericht auf den ersten Blick
als eine neue Aufwärmung der Fabel von der
Herkunft dieses Stammes aus der scandinavischen
Halbinsel erscheinen könte. In diesen Gegenden
an der unteren Elbe ist also noch zu späterer
Zeit der alte Name Scedenîg haften geblieben,
aber nicht allein hier, auch in einem Namen
eines anderen nordischen Landes ist uns die
Spur der alten Benennung bis auf den heutigen
Tag aufbewart worden. Noch heute heiszt
der südliche Teil Schwedens Schonen, bei
Ælfred Scôneg, altn. Skâney (fast wörtlich
Scedenîg), bei Saxo Grammaticus Scania, dän.
Skaane, schwed. Skåne. Ja noch mehr, wir

---

[1]) bei Migne, Patrologiae cursus compl. T. LXXI. (1858)
p. 573, 605.

haben in diesem Namen nichts weiter vor uns,
als die deutsche Grundlage zu dem uralten
Wort Scandinavia, Scandia, welchen Namen
ja bereits Griechen und Römer für diese ihnen
noch gar unbekanten Länder überliefert haben.
Der Name komt zuerst vor bei Pomponius
Mela und Plinius, die, wie noch späterhin die
Schriftsteller des angehenden Mittelalters, den
ganzen Ländercomplex für eine ·meerumfloszene
Insel halten. So schreibt **Mela** III, p. 75, 10
(Parthey): in illo sinu, quem Codanum diximus
ex iis Scandinavia [1]), quam adhuc Teutoni
tenent, ut fecunditate alias ita magnitudine
antestat — das eigentliche Scandinavien mit
der kimbrischen Halbinsel verwechselnd,
auf welche die Alten die Teutonen setzten.
Plinius meldet N. H. IV, 27: mons Saevo ......
efficit sinum, qui Codanus vocatur, refertus
insulis, quarum clarissima est Scandinavia
incompertae magnitudinis; cap. 30 nent er neben
anderen Inseln auch die Scandiae (sc. insulae).
Auch Ptolemaeus redet (II., 11, 31, sqq.) von
Inseln: *νῆσοι δὲ ὑπέρκεινται τῆς Γερμανίας κατὰ*

---

[1]) So lese ich nach Is. **Vossius** (Ausg. d. Pomp. Mela v.
Abr. **Gronov** Lugd. Bat. 1782 p. 815). **Parthey** (Pomp. Melae
de chorogr. ll. III. Berol. 1867), nach dessen Ausg. ich die
Stelle citiere, liest nach einigen Handschr. Codanovia; die
meisten Handschr. haben codannonia oder codanonia. Ich denke,
der Satz: — Scandinavia ...... ut fecunditate alias ita magnitudine antestat, deutet doch wol auf Scandinavien hin.
Was denkt sich denn Parthey unter Codanovia? Ueber den
sinus Codanus vgl. unten.

μὲν τὰς τοῦ Ἄλβιος ἐκβολάς . . . . ἀπ'
ἀνατολῶν δὲ τῆς χερσονήσου [sc. Κιμβρικῆς] τέσσαρες αἱ
καλούμεναι Σκανδίαι, von denen die gröste und
östlichste der Weichselmündung gegenüberliege
und auch allein Scandia heisze. Eher hätte
der Geograph die Odermündung nennen können.
Bei Jornandes und anderen findet sich wie
gesagt die verengte Form Scanzia und Scandza.[1])

Alle diese Formen nun, Scedeland, Scedenîg,
Scandinavia, Scôneg, Skâney, Schonen, bezeichnen im weiteren Sinne denselben Länderkomplex;
in Scandinavia wäre etwas entstellt (?) der erste
Teil des Wortes (— oder wäre ein älteres
skindan nach lat. scindere vorauszusetzen? —),
der zweite ist nur eine abgeleitete Form für
-îg, -eá, -ey: das got. avia (v. ahva), ahd. ouwa,
mhd. ouwe für auwia, Waszerland, Insel. Gang
und gäbe waren diese Namen also geworden
für den gesamten skandinavischen Norden, die
kimbrische Halbinsel und die dänischen Inseln
mit eingeschloszen. So besonders im Beóvulfliede die Bezeichnungen Scedeland und
Scedenîg be saem tveónum; eigentlich
haften geblieben ist der Name Scandinavia
nur für die eigentliche skandinavische Halbinsel, deren südlicher Teil Schonen noch die
urdeutsche Grundlage des Wortes gewart hat;
für die kimbrische Halbinsel ist der Name
Scâdenauge, der ja dasselbe bedeutet, nur

---

[1]) Ueber diese Namensform vgl. Grimm, G. d. d. Spr. p. 505.

eine kurze Zeit in den Anfängen des Mittelalters, und auch da nur für den südlichen Teil
derselben an der unteren Elbe, etwa Holstein
nebst dem östlich liegenden Lauenburg, Nordalbingien, usurpiert worden.

Für diese in Rede stehende Scâdenauge
nun gebraucht Paulus Diaconus eine andere
Bezeichnung, die kurzer Betrachtung wert erscheinen dürfte. Nachdem er in den Gestis
Langob. c. 2 die Herkunft der Langobarden
von Scandinavien, der wie er meint meerum-
floszenen Insel, erzählt, bringt er c. 7—11 etwa
folgende aus Sage und Geschichte verquickte
Nachricht [1]: das Volk sei noch unter dem
Namen Vinili aus Scandinavia, dessen dritten
Teil es inne gehabt, wegen Uebervölkerung
durch das Los verwiesen, unter der Führung
des Ajo und Ibor, der Söhne der Seherin Gam-
bara, in das Land Scoringa (?) gegen die
Vandalen und ihre Anführer Ambri und Assi
gezogen, habe hier durch Wôdan den Namen
Langobarden erhalten und sich hierauf in das
Land Mauringa gegen die Assipitii gewendet.
Ich enthalte mich der Deutung der rätselhaften
Namen und Völkerverhältnisse; nur die letzte
Bezeichnung, da sie einerseits an andere Ueber-
lieferung anklingt, andererseits in ihr eine
Beziehung zu den von uns besprochenen Ge-

---

[1] Vgl. auch Zeusz, Die Deutsch. u. s. w. p. 472. Grimm,
G. d. d. Spr. p. 475 f.

genden, speciell der sächsischen Scâdenauge, zu liegen scheint, beansprucht für uns einige Wichtigkeit. Es kehrt nämlich der dunkle Name wider beim Geographus Ravennas in dem dort (I, 11. IV, 18) angeführten Namen Maurungani; an letzterer Stelle ist der Name etwas verstümmelt, es tritt aber dafür eine wichtige geographische Beziehung hinzu: est patria quae dicitur Albis [Maur]ungani, montuosa per longum, quae ad orientem multum extenditur. Die Maurungani sind ihm also die Bewohner der Gegenden an der Elbe und der weiter ostwärts zwischen Donau und Ostsee liegenden Länder. Es ist diese Nachricht füglich noch älter als die des Paulus Diaconus. „Die Kosmographie ward am Ende des VII. Jahrh. in Ravenna in griechischer Sprache zuerst abgefaszt, nicht lange nachher in einer erweiterten Gestalt gleichfalls griechisch bekant gemacht, alsdann die erste Faszung etwa saec. IX in's Lateinische übersetzt und zu irgend welcher Zeit ebenfalls die zweite, welche Guido von Pisa J. 1118 excerpiert hat. Im wesentlichen ist das Werk also eines der wenigen literarischen Erzeugnisse des Occidents aus dem VII. Jahrh., dessen ganze Barbarei es atmet; aber die Masse der darin aufbehaltenen geographischen Notizen gehört nur zum kleineren, vielleicht zu einem sehr kleinen Teile dieser Zeit an. Das Buch enthält auszer den karolingischen Einschiebseln eine Menge Angaben aus einer römischen Landkarte des dritten Jahrh." [1])

Die oben angeführte Nachricht des Cosmographen dürfte wol der ältesten Faszung angehören, besonders da fast um · dieselbe Zeit derselbe Name in etwas anderer Form bei den Angelsachsen widerkehrt, und zwar in einem der ältesten Erzeugnisse der angelsächsischen Volkspoesie, dem Wandererslied, dessen jetzige Faszung wol auch dem 7. Jahrhundert angehört, dem aber manche Nachrichten einverleibt sind, die ein noch höheres Alter beanspruchen. [2]) Vor allem wertvoll wird die Nachricht noch dadurch, dasz wie bei Paul Warnefried der Name in Verbindung gebracht ist mit dem der Langobarden. Unser Sänger nun, Vîdsîth geheiszen, den von den Mŷrgingen die Edeln antrieben, hat mit Ealhhilde, der holden friedlichen Weberin [Epitheton der Hausfrau], Tochter Eádvin's und Gemahlin Eádgils', des Königs der Mŷrginge (v. 93—98),

---

[1]) So Mommsen, Ber. d. sächs. Ges. d. Wisz. (1851) III p. 116 f. Vgl. Teuffel, Röm. Lit. Gesch. 2. Aufl. 1872 p. 1134 f. Ausgabe von Parthey und Pinder, Berl. 1860.

[2]) Vgl. Müllenhoff, Haupt's Zeitschr. X, 176 (s. o. Einl. p. 17). Eine kritische Behandlung liesz derselbe Gelehrte dem Liede angedeihen in ders. Zeitschr. XI p. 275—294; die Resultate dieser gründlichen Forschung sind in dem folgenden mit Dank verwertet, deshalb sei hier ein für alle mal darauf verwiesen. Gegen das hohe Alter des Liedes spricht sich aus K. Maurer, Zeitschr. f. d. Phil. II, 447.

die Heimat des Gotenkönigs Eormanrîc,
östlich von den Angeln besucht, und
erzählt uns nun von den Völkern und Volks-
königen, die er gesehen. Der Umstand, dasz
das Lied sich die Goten östlich von den
Angeln denkt, liefert den Beweis, dasz die
Grundlage desselben sehr alt sein musz: es
weisz sonach, obgleich es häufig von Angeln
und Sachsen redet, nichts von den späteren
Verhältnissen dieser Stämme und ihrem Zuge
nach Britannien, es kent nur die Urheimat
dieser Völker in Schleswig-Holstein. Und wenn
später (v. 79 ff.) von Picten und Scoten
die Rede ist, was doch auf nähere Kentnis
Britanniens und seiner Stämme schlieszen liesze,
so ist zu bemerken, dasz diese ganze Stelle
(75—88) mit Recht bereits von Kemble,
Leo und besonders Müllenhoff für das Einschiebsel eines gelehrten angelsächsischen Ueberarbeiters erklärt worden ist, der, wol ein Geistlicher, in seiner Weisheit frischweg auch an
anderen Stellen Ungehöriges eingeschaltet hat,
wie Israeliten und Syrer, Hebräer und Jnder,
Egyptier, Meder und Perser, Saracenen (Ser-
cinge?), Serer u. s. w. (75—88), ja (14 ff.)
sogar Alexander den Groszen.

Wir heben nun weiter das für uns Wichtige
aus dem Liede heraus. V. 22 ff. erscheinen die
Mŷrginge in folgender Gesellschaft:

Vitta veóld Svaefum, Vada Haelsingum,
Meaca Mŷrgingum, Mearchealf Hundingum.

Die Svaefe sind die Suebi, noch in ihrer alten Stellung an Elbe nnd Oder im 1. Jahrh. gedacht, die Haelsinge, wol ein mythisches Geschlecht, erinnern an die jetzigen Städtenamen Helsingör und Helsingborg, das eine auf Seeland, das andere im südlichen Schweden, ferner an Helsingland im nördlichen Schweden am bottnischen Meerbusen. Sodann werden hier von den Sueben streng geschieden die Mŷrginge, über welche Meaca[1] waltet, und an sie schlieszen sich an die Hundinge, die Mearchealf beherscht. Der letztere Name kann einen Fürsten bedeuten, der mit einem anderen die Herschaft über ein Gebiet teilt, oder, wenn man von dem Subst. ags. healf, ahd. halba, latus ausgeht, einen, der ein angrenzendes, benachbartes Gebiet beherscht. Bei Erwähnung der Hundinge ist man mit Müllenhoff versucht zu denken an die centum pagi der Sueben bei Caesar (B. G. IV, 1) und die centeni bei Tacitus (Germ. 6).[2]

---

[1] Das ist die urkundliche Lesart, geschützt von Müllenhoff. Es hängt der Name zusammen unzweifelhaft mit ags. gimaca, alts. gimaco, ahd. gamahho, socius, sodalis, compar.

[2] Eine Erklärung dieser Stelle bei Müllenhoff, Haupt's Z. X, 550 ff. Holtzmann (Jahrb. d. Ver. v. Alt. Fr. i. Rh. XXXVI, 16 und zur Germ. d. Tac. p. 149) bringt die centeni direct mit hund = hundert zusammen und legt ein altes canna = hunno (centurio; cf. Helj. 2093 Heyne) zu Grunde, um damit den

Somit dürften wir auch hier die Sueben oder
doch einen suebischen Stamm vermuten. An
einer anderen Stelle erscheinen die Svaefe und
Mỳrginge identisch. V. 38 ff. heiszt es von
Offa, dem Könige der Angeln: Offa schlug
zuerst unter den Menschen als junger Mann die
meisten Königreiche, kein Gleichalteriger erkämpfte eine gröszere Herschaft (?); er bestimte
die Grenze gegen die Mỳrginge beim Fifeldor;
diese (die Mark) hielten fort seitdem die Angeln
und Sueben (Engle and Svaefe), so wie sie
Offa schlug, d. i. durch Schlagen gewann. Also
Offa, der Angelnkönig, setzt die Grenze gegen
die Mỳrginge fest, und diese wird geschützt
einerseits durch die. Angeln, andererseits durch
die Sueben, die er so eben Mỳrginge genant hat.[1]
Fifeldor ist die Eider, die alte Agidora,
Egidora, Egdora, bei Saxo Eydora, Eidorus;
denn fîfel (altn. fîfl, Ungeheuer, Dämon) ist mit
got. agis d. i. ags. ege oder êge, altn. oegir,
Schrecken, Ungeheuer, dem Begriffe nach nahezu
idéntisch.[2] Nördlich von der Eider, im östlichen

Namen des Reitervolkes der Caninefaten (von canna gen. pl.
= cananê, fates vom got. faps, also equitum domini, d. i. Reitervolk, Reiterabteilung in Verbindung zu bringen. Bei Saxo wird
(lib. II p. 25 ed. Müll.) ein Hundingus, Saxoniae regis Syrici
filius erwähnt, der von den Dänen geschlagen wird.

[1] Die Engle und Svaefe begegnen uns noch einmal v. 61.

[2] Vgl. Kemble bei Ettmüller, Beóvulf p. 30. Müllenhoff, H. Z. VII, 426. Die mehr sinliche Bedeutung des Stammes
dieses Wortes ist vertreten in got. aggvja, gaaggvja beenge, aggvus
eng (vgl. griech. ἄγχω schnüre, lat. ango, angustus); der Ueber-

Teile Schleswigs, wohnten die Angeln, also südlich von denselben die Sueben oder Mŷrginge in Nordalbingien, in der sächsischen Scâdenauge, die Maurungani des ravennatischen Cosmographen, das Mauringa des Paulus Diaconus. Und unter diesen Sueben sind hier die sogenanten Nordschwaben (Zeusz p. 363) zu verstehen, die auch der eben genante langobardische Geschichtschreiber zu meinen scheint, indem er (G. L. II, 26) sie unter jenen Völkern aufzählt, die dem Langobardenkönige Alboin nach Italien folgten. [1])

---

gang in's geistige Gebiet ist ersichtlich in got. agis, ôg, bin erschreckt (vgl. griech. ἄχος lat. angor, ahd. angust, nhd. Angst). Curtius, Grundzüge der griech. Etymologie p. 190.

[1]) Ich habe direct die sprachliche Identität von Maurungani, Maurungi, Mauringi, Mŷrgingas vorausgesetzt, obgleich sprachlich die Sache noch nicht so gar geläufig erscheinen dürfte. Es bleibt nämlich das g. der 2. Silbe unerklärt (ags. mŷre = älterem mauri würde doch Mŷring ergeben müszen). Müllenhoff nimt an, dasz das Land wol got. Maurjô geheiszen haben dürfte; diesz ergäbe ags. Mŷrge und weiter Mŷrgingas für die Bewohner. An môr, ahd. muor, in verringernderem Ablaute stehend zu meri, got. marei, zu denken, läge nahe, und eine Ableitung davon ist unser Name sicherlich. Unbestreitbar damit zusammenhängt der Ortsname Môrungen (woher der Minnesinger Heinrich von M. stamt) in der Nähe von Sangerhausen (vgl. Lachmann u. Haupt, Des Minnesangs Frühling p. 278. Bartsch, Liederdichter p. XXXII), die curtis Moranga in pago Morungano in der vita Meinwerci c. 22, und besonders der Name des Môrunc, eines Helden des Königs Hetel von Hegelingen in der Kudrûn, des Herren von Nîflant, d. i. Lievland, wo die Dänen Besitzungen hatten, in der Liefländischen Reimchronik stets Nîfland genant. cf. Müllenhoff und Martin in ihren Anm. z. Kudr. 211, 1. Hildebrand Z. f. d. Phil. II, 477. Vgl. auch den Namen Siegfried von Môrlant.

Im weiteren Verfolg des Liedes lernen wir
nun auch noch das Nähere über die Königsfamilie der Mŷrginge kennen (92—98), und da
erfahren wir denn, dasz die eingangs erwähnte
Ealhhilde die Tochter des Eádvin und
Gemahlin des Eádgils, des Königs der Mŷrginge
ist; und dieser selbe Eádvin wird 74 aufgeführt
als der Vater des Aelfvin, den der Sänger on
Eatule (in Italien) besuchte. Der letztere ist
kein anderer als der historische Langobardenkönig Alboin, und dessen Vater der ebenfalls
historische Audoin. Somit ist auch die Vermutung nicht abzuweisen, dasz auch Eádgils und
Ealhhilde historische Personen sind, und die enge
Verbindung der Mŷrginge mit den Langobarden
ein historisches Factum ist. Aber es erhellt
ebenfalls, dasz der Name Mŷrgingas, ganz wie
die Maurungani beim Cosmographen von Ravenna,
nicht allein für die Stämme in Holstein gegolten
hat, er musz, wie auch schon oben angedeutet
worden, eine gröszere Ausdehnung gehabt haben.
„Es kann der Langobardenkönig in Pannonien
kein Interesse gehabt haben, seine Tochter nach
Holstein zu verheiraten." Es werden unter dem
Collectivnamen Mŷrginge oder Maurungani auch
im weiteren Sinne alle die Ueberreste derjenigen
germanischen Stämme zusammengefaszt, die im
5. bis 6. Jahrhundert das von der Elbe durch-
strömte und östlich anliegende Land von der
Donau bis zur Ostsee bewohnten, während der

Name nebenbei auch im engeren Sinne von den Bewohnern Nordalbingiens usurpiert worden ist.

Nach dieser, zur Orientierung übrigens durchaus nötigen Abschweifung nehmen wir den Faden unserer Untersuchung wider auf. Es wird sich nunmehr die Frage, in welchem Teile des Scedelandes die Wohnsitze Hróðgâr's und seiner Dänen zu suchen sind, anknüpfen müszen an die Untersuchung über die Lage des Prachtbaues Heorot, welchen Hróðgâr errichtete, und der der Schauplatz der Untaten Grendels und seiner Erlegung durch Beóvulf war. Doch ist es, um der befriedigenden Lösung obiger Fragen näher zu kommen, nötig, etwas weiter auszuholen und vor allem die Wohnsitze der Dänen nach den uns zu Gebote stehenden historischen Quellen des genaueren zu ermitteln und festzustellen.

Der Name der Dänen taucht erst auf im 6. Jahrhundert; denn die Nachricht des Servius zu Verg. Aen. VIII, 728: Dani dicti a Dahis, qui sunt populi Scythiae juncti Persidi — ist wol ein späteres Glossem, wie denn überhaupt die Commentare des Servius zu Verg. durch zahlreiche Verkürzungen und besonders Interpolationen entstellt sind. [1]) Die Aufführung der

---

[1]) Vgl. Teuffel, Röm. Lit. 975 f. — Zum vorhergehenden Verse (727) desselben Buches der Aen. merkt der Scholiast zu den Vergilianischen Worten „Rhennsque bicornis" folgendes an: Rhenus, fluvius Galliae; bicornis autem, quia per duos fluit alveos: per unum, qua Romanum imperium est, per alterum, qua interluit barbaros, qui iambal dicitur et facit insulam Batavorum.

Dani in der Cosmographie des Istriers Aithikos, im lateinischen Auszuge des Hieronymus (L. II. c. 29) kann ebenfalls kein so hohes Alter beanspruchen, wie es der Herausgeber des Aith., Wuttke in der seiner Ausgabe (Leipz. 1853) beigegebenen Abhandlung p. L behaupten will. Dasz dieser Auszug, in barbarischem, Fredegarischem Latein geschrieben, nicht aus dem Anfange des 4. Jahrh., also auch nicht von dem Kirchenvater Hieronymus (330—420) herrühren kann, dasz er vielmehr weiter nichts ist, als ein „geographisch - historischer Roman, dessen Verfaszer teils wenig bekannte ältere, teils selbst erfundene Märchen zusammenstellt und mit zwei berühmten Namen, einem ostensiblen [Hieronymus] und einem mysterieusen [Aithikos oder vielmehr Ethicus, Ἠθικός] in das Publikum eingeführt hat“ — das ist in neuerer Zeit überzeugend bewiesen worden.[1] Es ist ein Machwerk aus der mero-

---

Wenn Burmann statt iambal schreibt: iam Vahal d., so ist er in einem höchst bedenklichen Irrtume; der erste Arm, der das römische Gebiet berührt, also der südliche, ist ja die heutige Waal, der zweite, der durch Barbarengebiet flieszt, also der nördliche, wird mit dem rätselhaften Namen iambal bezeichnet. Sollte in dieser Bezeichnung nicht der vielgedeutete Name des Flusze s Nabalia (Tac. Hist. V. 25) enthalten sein? Vgl. über den letzteren überdiesz A. Dederich, Gesch. d. Röm. u. d. Deutsch. a. Niederrh. p. 181 ff. — Uebrigens verdanke ich den Nachweis obiger Stelle des Scholiasten Herrn Dir. Dr. Schmitz in Köln.

[1] Vgl. besonders C. L. Roth, Heidelberger Jahrb. 1854 p. 269—277. 1855 p. 100—106. Ueber die Nachrichten des Cosmographen, die Herkunft der Franken betreffend, haben ihr

vingischen Zeit, aus der ersten Hälfte etwa des
7. Jahrh. Auch die Behauptung einiger Gelehrten
(z. B. des eben genanten Wuttke a. a. O.),
in dem Namen sinus Codanus bei Plinius und
Mela, und besonders der Codanonia des
letzteren stecke bereits der Name der Dani
und die Römer hätten die Silbe co- vorgesetzt,
um sich die Aussprache des harten und schweren
D der Nordvölker zu ermöglichen, entbehrt
aller und jeder Begründung. — Somit bleiben
die ältesten Notizen immer noch die des Pro-
copius (De bell. Got. II, 15) und des Jornandes (De Get. s. Got. or. c. 3). Der erstere
läszt zu Anfang des 6. Jahrhunderts einen Teil
der Heruler nach einer von den Longobarden
erlittenen Niederlage von der unteren Donau
weg nordwärts ziehen, um an Varnen und
Dänen [1]) vorbei nach Thule zu gelangen und
sich dort neben den Gauten niederzulaszen.
Die Varnen sind wol die Varini des Tacitus
(Germ. 40) und sie erscheinen hier besonders
in Verbindung mit den Reudigni, Aviones,
Anglii einerseits, andererseits den Eudoses,
Suardones, Nurtones, welche Völker besonders die Nerthus verehren. Aufgeführt

---

Verdammungsurteil ausgesprochen Zarncke, Die Trojanersage
der Franken. Sitzungsber. d. k. sächs. Ges. d. Wisz. 1866, und
mein Vater A. Dederich, Der Frankenbund, dessen Ursprung
und Entwickelung. Hannover 1873 bes. p. 52. 627.

[1]) ἐς τοὺς Οὐάρνους καλουμένους ἐχώρησαν, μεθ᾽ οὓς δὴ καὶ
Δανῶν τὰ ἔθνη παρέδραμον.

sind sie alle nach den **Langobarden**, deren Wohnsitze an der mittleren und unteren Elbe zu denken sind; nördlich von ihnen, in die cimbrische Halbinsel hinein werden die Gaue der bezeichneten Völker sich erstreckt haben. Es kann uns nicht beikommen, die Wohnsitze aller dieser kleinen Stämme fixieren zu wollen, wir halten uns zunächst an die Stellung der **Varini** zwischen **Anglii** und **Eudoses**. Die **Anglii** nun saszen im südlichen Schleswig, wo noch heute der westliche zum Meere gelegene Teil Angeln heiszt; die **Eudoses** sind eins mit den **Juthungen**, **Jüten** (ags. Eótas, Jótas, Geótas, Ytas) [1]), somit wohnen die **Varini** zwischen Angeln und Jüten, also in Nordschleswig und Südjütland. [2])

---

[1]) Vgl. unten das Nähere über die Jüten im folg. Cap.

[2]) In allgemeinen Umriszen eine Bestätigung dieser aus Tacitus gefolgerten Bestimmung enthält das Wandororslied. Es werden dort (v. 25) die **Vaernas** zusammengestellt mit den mythischen **Brondingen**, deren Fürst Breoca ist (d. i. Brecca, mit dem Beóvulf das Beóv. v. 506 ff. geschilderte Abenteuer bestand), ferner den **Eóven** (d. i. **Aviones** des Tac.) und den **Yten** (d. i. Jüten). An einer anderen Stelle (v. 59) erscheinen sie zusammen mit den **Venlas** und **Vicingas**. Die letzteren sind nach v. 47. 49. identisch mit den **Heaðobarden** (vgl. unten cap. 3) d. i. **Langobarden in Nordalbingien**; die **Venlas** (im Beóvulf v. 348 **Vendlas**) sind nicht etwa die **Vandili** oder **Vandalen**, sondern nach **Grundtvig** (vgl. **Bugge** Zeitschr. f. d. Phil. IV, 197) die Bewohner des **Vendill**, der nördlichsten Landschaft Jütlands, zwischen Limfjord und dem Meere. — Bei **Plinius** erscheinen die **Varini** nicht unter den Ingvaeonen, sondern den **Vandili** (IV. 28); doch ist hier die Lesart unsicher (cod. varinne Charini). Bei **Ptolemaeus** (II, 11) heiszen sie

Also an diesen vorbei gehen die Heruler
und kommen dann zu den Dänen, bevór sie
nach Thule in die Nähe der Gauten gelangen.
Die letzteren nun sind, wie im folg. Capitel
des näheren nachgewiesen werden wird, die
Geátas im südlichen oder südöstlichen Schweden
(Schonen), und Thule kann somit nur Scandinavien bedeuten. Somit sind die Wohnsitze
der Dänen zwischen Nordschleswig und Jütland
und Südschweden zu suchen, d. i. auf den
jetzigen dänischen Inseln (Seeland u. s. w.).
Und Jornandes weisz (a. a. O.) die Heruler
in Scandzia bereits seszhaft, sie werden nach
ihm von den Dänen vertrieben, ein Beweis der
frühen Ansiedelung der Dänen auf der ihnen
gegenüberliegenden Südspitze Scandinaviens, dem
alten Scâney, dem jetzigen Schonen. Diese
selben dänischen Inseln meint auch Ptolemaeus
in der oben angef. Stelle unter den 3 kleineren
skandischen Inseln. In einer rohen Stelle des
um 1288 geschriebenen chronicon Erici regis[1])
heiszt es nun noch weiter: nam tempore illo
[sc. tempore David regis] Dan, filius Humblae,
de Suecia veniens, regnavit super Sialandiam,

Οὐίρουνοι (als ein Teil der Σουῆβοι Ἀγγειλοί) und neben ihnen
sitzen die Τευτοκόαροι, beide zwischen Sachsen und Sueben. — Der
Namensähnlichkeit wegen hat man sie auch um Warnemünde
im Mecklenburgischen gesetzt.

[1]) Bei Langebeck, I, 150. Vgl. Petr. Olai Chron. reg. Dan.
ibid. I, 77. Annal. Esrom. ibid. p. 228. Zeusz, Die Deutsch.
p. 509 f. Grimm, G. d. d. Spr. 509 f.

Monen, Falster et Laland, cuius regnum dice-
batur Withesleth.[1]) Also nicht alle dänischen
Inseln bilden das alte Dänenreich, sondern nur
die östlich vom groszen Balt gelegenen. Und
in späterer Zeit, als bereits die westlichen
Inseln und Nordschleswig nebst Jütland von
den Dänen erobert war, betrachtete man beide
Teile (Jütland mit Fünen u. s. w. — Seeland
u. s. w.) gewissermaszen als getrente Reiche,
das erstere (Jütland) war somit noch nicht mit
Dänemark zu einer Monarchie vereinigt. Am
anschaulichsten und schlagendsten beweist uns
das Ohtere's, eines norwegischen Seefahrers,
Bericht, in Ælfred's Orosius [2]), eine Stelle, die
ich ganz mitzuteilen mir erlaube: and of Scîringshale he (sc. Ohtere) cvaeð, þaet he seglode
on fîf dagan tô þaem porte, þe mon haet aet
Haedum, se stent betuh Vinedum and Seaxnum
and Angle and hyrd in on Dene. Dâ he þider-
veard seglode fram Scîringsheale þâ vaes him
on þät baecbord Dena marc and on þaet steórbord vîdsae þry dagas, and þâ tvegen dagas
aer he tô Haedum côme, him vaes on þaet
steórbord Geótland and Sillende and îglanda
fela, on þaem landum eardodon Engle aer hî
hider on land cômon; and him vaes þâ tvegen

---

[1]) Altn. Vidhisletta, Weitfläche?

[2]) Nach Rieger, Alt. u. ags. Les. p. 146 ff. Vgl. auch
Dahlmann, Forschungen I, 439. Gesch. v. Dännemark I, 65.
Leo, Beóv. 57.

dagas on ðaet baecbord þâ îgland, þe in tô
Denemearce hŷrad. Er erzählt also, dasz er
von Scîringshale (d. i. Westfold an der norwegischen Küste) in 5 Tagen zu dem Hafen
von Haedum (Hedeby, Schleswig) segelte,
welcher zwischen den Wenden, Sachsen und
Angeln gelegen sei, aber den Dänen gehöre.
Als er nun dahin segelte von Scîringsheal hatte
er links Dänemark, rechts die offene See
3 Tage lang; und die 2 Tage, ehe er nach
Haedum kam, hatte er rechts Jütland und
Sillende [1]) und viele Eilande, in welchem
Lande die Engle wohnten, ehe sie nach England
kamen; und links hatte er die 2 Tage die Eilande, die zu Dänemark gehören. Es ist klar,
Ohtere fuhr durch den groszen Belt und hier
hatte er zur linken Hand das eigentliche Dänenreich, die Inseln Seeland, Moen, Falster, Laaland,
und schon ehe er in den Belt hineinfuhr Schonen;
rechts hatte er Jütland und Schleswig (Sillende)
und viele Inseln (Fünen, Langeland u. s. f.).
Dasz auch diese letztgenanten Länder dänische
Bevölkerung hatten, gibt er uns bei der Erwähnung von Haedum (Schleswig) zu verstehen,
indem er ja sagt, Schleswig liege zwischen den
Wenden, Sachsen und Angeln, gehöre aber den
Dänen.

---

[1]) Sillende = Sinlende, sig. zusammenhängendes Land, Conti-
nent, Name des Südteiles der kimbrischen Halbinsel (Südjütland
und Schleswig).

Nicht anders liegen die Verhältnisse nach den Aussagen des Seefahrers Vulfstân bei Ælfred. Er fährt in 7 Tagen von Haedum nach Truso (einem Handelsplatze am Drausensee südlich von Elbing). Da war ihm Veonodland (Wendenland) zur Rechten, zur Linken dagegen Langeland, Laaland, Falster und Scôneg (Schonen): and þaes land eall hŷrad tô Denemearkan; ebenfalls links blieb ihm Bornholm (Burgenda land), und er bemerkt ausdrücklich, dasz diese Insel ihren eigenen König gehabt habe. „Er versteht unter Dänemark eben wie Ohtere ein bestimtes Reich, und zwar dasjenige, welches nach altem Rechte schon· so hiesz, als Jütland noch Angeln war." [1]) Die Anschauung des Königs Ælfred selbst haben wir bereits oben (p. 30) angeführt: er unterscheidet ein nördliches und ein südliches, d. i. ein östliches und ein westliches Dänenreich: Und eben dieses Ostreich ist das ältere: auf Seeland lag ja auch der älteste und berühmteste Königstuhl, von Saxo (Hist. Dan. l. II., p. 89 ed. Müll.) Lethra genant, in altnordischer Ueberlieferung Hleidra. [2]) Zur Zeit des Ælfred waren Jütland und Nordschleswig also schon in den

---

[1]) Dahlmann, Gesch. von Dännem. I, 66.

[2]) Vgl. H. Leo, Universalgesch. II, 791. Grimm, Gesch. d. d. Spr. 511. Got. hleithra heiszt Zelt und ist wol eines Stammes mit hlija, auch wol hlaiv Grabhügel, hlains Hügel, alles gehörig zu griech. $\varkappa\lambda\iota\nu\omega$, lat. clivus, clinare, ahd. hlinêm, lehne. cf. Curtius, Grundzüge der griech. Etymologie p. 149 f.

Händen der Dänen; es werden diese Länder
unterworfen, aber noch nicht mit dem eigentlichen Dänenreiche vereinigt gewesen sein. Es
fragt sich nun, wann Jütland unter dänische
Herrschaft gekommen ist. Auch darin läszt
sich durch historische Combination einiges Licht
bringen. Um das Jahr 446 setzten sich bekantlich die Schaaren der Angeln und Sachsen
in Bewegung nach Britannien. Ihnen gesellt
Beda Venerabilis noch die Jüten bei. [1]) Die
letzteren mögen allmählich ihren Landsleuten
nachgefolgt sein, besonders als die Dänen nach
dem Abzuge der Angeln und Sachsen sich auf
die dünn gewordene Bevölkerung Schleswigs
geworfen und auch ihre Blicke bereits nach
dem Norden (Jütland) zu richten begannen.
Die dänische Sage weisz nun nichts von jener
Wanderung, sie läszt jedoch Jütland durch die
Könige Helgo und Hrolf Kraka (Rolvo n.
Saxo) erobern und unterwerfen. [2]) Die letztere
Angabe halte ich für ein bestimtes historisches
Factum. Helgo und Hrolf Kraka finden
wir in unserem Gedichte wider als Halga und
Hróðulf, Bruder und Brudersohn Hróðgâr's,
der also Helgo's Vorgänger gewesen sein musz,
wie denn auch Saxo als Vorgänger desselben

---

[1]) Hist. eccles. gent. Angl. I, 15; advenerunt autem de tribus
Germaniae populis fortioribus id est Saxonibus, Anglis, Jutis.

[2]) Dahlmann, Gesch. v. Dän. I, 16.

Roe d. i. altn. Hrôâr, ags. Hróðgâr anführt. [1)]
Unter dem letzteren war Jütland also
noch nicht unterworfen. Als chrono-
logischen Anhaltspunkt setzen wir den Zug des
Hygelâc gegen Franken und Friesen; er fand
nach fränkischen Quellen statt etwa 512—520
(vgl. unten). Hróðgâr, ein älterer Zeitgenosze
des eben genanten Geátenkönigs wird also um
500 geblüht haben, natürlich im alten Dänemark,
auf Seeland.

Auf diesem seinem Stamsitze wird Hróðgâr
auch den Prachtbau Heorot aufgeführt haben.
Diese Halle, ahd. hiruz, Hirschhalle war ohne
Zweifel so genant von den ihm aufgesetzten
beiden Teilen eines Hirschgeweihes, und zwar
hat man das sich so zu denken, dasz zur An-
bringung dieses Geweihes an beiden Dachgiebeln
dasselbe in der Mitte seines unteren Teiles, da
wo die beiden Enden zusammenstoszen, der
Länge nach durchsägt, und so die beiden
Stangen von einander geschieden worden waren.
So kam die eine der letzteren, je nach der
Orientierung des Hauses, auf dem westlichen
oder südlichen, die andere auf dem östlichen
oder nördlichen Ende des Daches zu stehen.
„Geschah nun das Aufstecken beider Stangen
in der Weise, dasz beide den inneren Teil gegen
einander kehrten, so übte das Gebäude, aus

[1)] Vgl. unten, wo die genauere Genealogie folgen wird.

der Ferne gesehen, wo die Giebel und mit ihnen deren Hornschmuck näher zusammenrücken, eine höchst phantastische Wirkung: dem Beschauer muste allerdings der Vergleich mit einem riesigen Hirschhaupte nahe gerückt werden; und solche Motive mögen bei Benennung der Halle Heorot obgewaltet haben." [1] Hrôðgâr führte diese Halle in der Nähe seiner eigenen Burg auf: heiszt es ja ausdrücklich im Gedichte, dasz der König aus Furcht vor Grendel sich jeden Tag, sobald die Sonne gesunken, in sein sicheres Schlosz begibt (Beóv. 645 ff., 654 ff., 1235 f.), ferner dasz auch seine Mannen aus Furcht vor dem Waszergeiste die Halle meiden und sich sichere Schlafstätten längs den Burggebäuden suchen (Beóv. 138 ff.). Sie liegt in der Nähe des Meeresstrandes, wie auch die Burg Hrôðgâr's: vom Strande aus gehen die Geáten über eine bunt bepflasterte Strasze (Beóv. 320) zunächst zur Halle, und diese stand, wie wir später erfahren, durch einen Steig (medostîg 924) mit der Königsburg in Verbindung. Welt in das Land hinein stralte der Prachtbau 311: lîxte se leóma ofer landa fela, und wir haben ihn uns entweder auf einer Anhöhe liegend, oder doch wenigstens die Gegend selbst, wenn auch nur nach einer Seite hin eben zu denken. [2] Und

---

[1] M. Heyne, Ueber die Lage und Construction der Halle Heorot im ags. Beóvulfliede u. s. f. Paderborn 1864 p. 45.

[2] Heyne ebendas. p. 41.

zwar denke ich mir nach der westlichen Seite weithin ebenes Land, die Halle selbst musz ja in der Nähe der östlichen Küste Seelands gelegen haben. Denn die Geáten langen zu Schiffe von ihrer Heimat Schonen aus (vgl. unten) in sehr kurzer Zeit an: ymb ântîd ôðres dôgores (219), also 24 Stunden nach ihrer Abfahrt sahen sie bereits das Dänenland, und vom Strande aus betreten sie bald die Halle. Ebenso geht die Rückfahrt des Beóvulf zu Higelâc (1905 ff.) sehr rasch von statten. Saxo nun erzählt von dem bereits erwähnten Roe d. i. Hrôâr, Hrôðgâr, folgendes (lib. II p. 80 ed. Müll.): a Roe Roskildia condita memoratur, quam postmodum Sveno, fucatae barbae cognomento . clarus, cívibus auxit, amplitudine propagavit. So identificierte man vielfach das jetzige Roeskilda mit Heorot, wie zuerst Kemble [1]). Gegen ihn erhob sich Thorpe [2]), welcher Heorot nach Nordjütland verlegt, und sich auf ähnliche Ortsnamen daselbst, wie Hirtshals, Hiörring (was . schon Thorkelin als zusammengezogen aus Heortthing erklärte) berief. Dasz die Annahme der Lage der Halle auf Jütland eine . gänzlich unmögliche und absurde ist, glauben wir oben

---

[1]) Vgl. auch Müllenhoff, Haupt's Zeitschr. VII, 421 f. Rieger, Leseb. p. 281.

[2]) Vgl. dess. Ausg. des Beóvulf Introd. XXII. gloss. ind. 319. Ihm stimt bei, freilich ohne jede weitere Begründung dieser Ansicht Bouterwek, Haupt's Z. XI, 72 f.

gezeigt zu haben, sie kann nur auf Seeland gelegen haben. · Und wenn ich mich nicht grade für Roeskilda entscheiden kann, so glaube ich doch mit Grein [1]) annehmen zu können, dasz der Name Heorot sich widerfindet in dem heutigen Hjortholm (Hirschholm) auf Seeland, in der Nähe des Siälsees, südlich von Helsingör, der Insel Hveen gegenüber.

So weist also alles auf Seeland als den Stammessitz der Dänen: hier herschte Hróðgâr, hierhin wird des Geáten Beóvulf Kampf mit dem Waszerungeheuer Grendel verlegt. Auf Schonen mögen sie um diese Zeit auch bereits an der Westküste ihre Ansiedelungen gehabt haben, jedoch weiter im Innern dieses Teiles der groszen skandinavischen Halbinsel und an der Süd- und Ostküste waren ihre Stamverwandten, die Geáten (vgl. unten) oder Gauten ansäszig. Hróðgâr ist nun der Sohn Healfdenes aus dem Geschlechte der Scyldinge. Der Dichter der Einleitung nent als Ahnherrn der Dynastie (v. 4) den Scyld Scêfing, d. i. den Sohn des Scêf oder Sceáf (vgl. ahd. scoup, manipulus frumenti). An ihn knüpft sich ein Mythus, der auch in unserem Beóvulfliede angedeutet wird, freilich in Uebertragung auf seinen Sohn Scild, eine Sage von tief symbolischer Bedeutung, die ihre Stralen bis in die altdeutsche

---

[1]) Die historischen Verhältnisse i. B.   Eberts Jahrb. f. rom. u. engl. Lit. IV, 266.

Heldensage hinein wirft. Nach den .übereinstimmenden Berichten englischer Quellen bei Kemble[1]) ist nämlich Sceáf hilflos als neugeborener Knabe in steuerlosem Schiffe auf einer Garbe schlafend, umgeben von Waffen, an Scandza gelandet und von den Bewohnern des Landes wie ein Wunder aufgenommen, benant, auferzogen und endlich zum König erwählt worden. Dieselbe Sage überträgt der Dichter der Einleitung auf Sceáf's Sohn Scyld, indem er folgendermaszen über sein Ende berichtet (26 ff.): Als Scyld lange und segensreich regiert, ging er hin „in Gottes Hut"; die treuen Mannen trugen, wie er selbst angeordnet, den entseelten Leichnam zum Meeresstrande, und in das erzbeschlagene Schiff legten sie den Fürsten, den ruhmreichen Ringespender, beluden dasselbe mit Schätzen und Kostbarkeiten, Waffen und Kriegsgewändern, und übergaben ihn so, einsam wie er gekommen, wider den Wogen des Meeres: niemand wuste zu sagen, wer die Last (die Ladung des Schiffes) empfing. Dasz sich zahlreiche Analogien hiervon in späteren deutschen Sagen vorfinden, besonders unverkenbare Anklänge an die Sage vom Schwanenritter, ist mit

---

[1]) Äðelwerd's, des Guilelmus Malmesbur. und einer handschriftlichen Chronik bei K., abgedruckt bei Leo, Beóv. p. 20 Anm. Ettmüller, Beóv. 4 ff. Vgl. Grimm, Mythol. (1. Aufl.) p. 218. Anh. XVII. Simrock, Handb. d. d. Mythol. 3. Aufl. p. 285 f. Müllenhoff, Haupt's Z. VII, 410 ff. Grein, Jahrb. f. rom. u. engl. Lit. IV, 263.

Recht von vielen hervorgehoben worden. [1]) Der
Kern der Sage ist mythisch-symbolisch und besonders für die Geschichte und Cultur des
Nordens und dessen Beziehungen zur altdeutschen
Cultur bezeichnend. Es läszt sich nämlich nicht
verkennen, „dasz hier ein Mythus von dem
Anfang und der Einführung der altdeutschen
Cultur vorliegt. Symbolisch wird durch die
Garbe auf den Ackerbau, durch die Waffen auf
den Krieg (und die Jagd?) und, wenn man will,
durch das Schiff auch auf die Schiffahrt, die
in einer angelsächsischen Sage kaum möchte
übergangen sein, hingedeutet. Es sind die Grund-
elemente des gesamten altdeutschen Lebens, und
ihre Einführung wird geschildert, indem die
Landeseinwohner, die wir bis dahin uns als roh
und aller Cultur bar denken sollen, den zarten
Fündling mit allem was er mitbringt aufnehmen
und erziehen. Indem sie ihn aber zum König,
d. i. zu ihrem ersten König erwählen, datiert
von ihm auch die erste Gründung einer politischen
und gesellschaftlichen Ordnung." [2]) Und wenn
im Wandererslied (v. 32) ebenderselbe Sceáf
(Sceáfa) als Volkskönig der Langobarden erscheint, so ist auch hier die Person des Sceáf
in diesem Sinne aufzufaszen, als Begründer einer
politischen und gesellschaftlichen Ordnung.

---

[1]) Grimm, Mythol. Anhang XVIII. Simrock a. a. O.
Leo a. a. O. p. 25 ff. Grein a. a. O.

[2]) Müllenhoff, a. a. O. p. 413.

Besonders wichtig erscheint der Name Sceáf in den angelsächsischen Stamtafeln[1]), die die Reihe der Vorfahren Vôdens uns überliefern. Mehrere von diesen Genealogien beginnen die Reihe mit Geát und bieten die Namen Geát, Godvulf (Folcwald), Finn, Friðuvulf, Friðuvald, Vôden; andere fügen vor Geát hinzu: Sceáf, Sceldva, Beáv, Taetva. Genauer und mit Hinzufügung von 5 Namen zwischen Sceáf und Sceldva liefert uns die Reihe die westsächsische Chronik: Sceáf, Bedvig, Hvala, Hathra, Itermon, Heremôd, Sceldva, Beáv, Taetva, Geát, Godvulf, Finn, Friðuvulf, Freávine, Friðuvald, Vôden. Damit stimmen überein die altnordischen Aufzeichnungen (bei Grimm XX), wo als Vater Bedvigs Cesphet, al. Sefsmeg, Sesep, Sescef, d. i. wol Sceáf angesetzt wird. Mehrere Genealogien laszen auch Sceáf aus und stellen die 5 Namen Bedvig, Hvala, Hathra, Itermon, Heremôd direct vor Sceldva, und vor Bedvig kennen manche alsdann noch einen sechsten Namen Stresaeus, Steresius u. s. f., ein höchst verderbtes und schwer zu erklärendes Wort. Wir haben es nun hier, in einer Abhandlung über die historischen Verhältnisse im Beóvulf, nicht mit der Entwirrung dieser mythischen Namen und Verhältnisse zu tuen, wir beschränken

---

[1]) bei Grimm, Mythol. XII ff. Ettmüller, Beóv. p. 7. Vgl. Müllenhoff, H. Z. VII, 412 f. Simrock, Handb. d. Myth. 169.

uns auf das Notwendigste und besonders nur auf etwaige Beziehungen der in unserem Gedichte vorkommenden Namen zu den in den angelsächsischen Genealogien angesetzten.

Es ist nun, wie Müllenhoff mit Recht annimt, klar, dasz die 5 oder 6 Namen Stresaeus, Bedvig u. s. f. zusammen gehören und erst zuletzt hinzugekommen sind. Alsdann sind wider zusammenzunehmen Sceáf, Sceldva, Beáv, Taetva, die gleichsam für sich ein besonderes Stück ausmachen und speciell für sich eine in sich geschloszene mythische Genealogie bilden. Was nun die folgende Reihe anbetrifft, so ist Geát ein Beiname des Vôden (vgl. unten), „den man, insofern man Vôden für den Schöpfer aller Dinge und vorzüglich des Menschen ansah, an die Spitze stellte"; dagegen bilden die übrigen Namen von Godvulf (Folcvald) an wider einen Kreis für sich und enthalten eine Characteristik des Gottes Freyr. So wäre zunächst über die Reihe Sceáf, Sceldva, Beáv, Taetva das Nötige in Kürze auseinanderzusetzen.

Wie wir oben schon gesehen, verbirgt sich hinter Sceáf nicht ein menschlicher Heros, sondern ein Gott oder Göttersohn, der, man weisz nicht woher, dem Volke erschienen, durch grosze Taten des Friedens der Schöpfer einer politischen und gesellschaftlichen Ordnung geworden ist und endlich mit Hinterlaszung einer Dynastie, die auf anderem Wege das von ihm

Geschaffene weiter fördert, wunderbar, wie er
gekommen, das Land wieder verlaszen hat.
Um ihn in die fernste Vergangenheit hinein-
zuschieben, knüpfte man an die biblische Ueberlieferung an, liesz ihn in der Arche Noae
geboren sein [1]) und setzte ihn in der Ahnenreihe
noch vor Geát (oder Vôden). Als den eigentlichen Repraesentanten des Königtums haben
wir nun Sceldva, in dem wir nicht unschwer
den Scyld Scêfing unseres Liedes widererkennen, zu betrachten. Schon sein Name
(Schild) deutet auf den Krieg und im Eingange
unseres Liedes wird vor allem sein kriegerischer
Herschersinn gepriesen, wie auch Saxo (p. 23
ed. Müll.) den Scyoldus, den Enkel des Dan
und Sohn des Lotherus als das Ideal eines
Fürsten an Tapferkeit, Gerechtigkeit und Milde
schildert; und auch die nordische Sage stellt
in demselben Sinne den Skiöldr an die Spitze
der dänischen Königsreihe zu Leithra. „Was
aber [im Beóvulfliede] von seiner Bestattung
erzählt wird, ist für ihn bedeutungslos, weil es
nur das Gegenstück und offenbar der zweite
Teil des auf ihn sehr unpassend übertragenen
Mythus von Sceáf ist, der nur im Anfange der
Genealogie, nicht aber bei ihrem zweiten Gliede
einen Sinn hat." [2]) Auf ihn folgt in unserem
Liede v. 53 ff. (seine Erwähnung v. 18 ist von

---

[1]) Grimm, Mythol. Anh. XIX.
[2]) Müllenhoff a. a. O. p. 414.

B eingeschoben) Beóvulf der Scylding, unstreitig der Beáva der angelsächsischen Genealogie. Nachdem im Innern durch die Werke des Friedens, nach auszen hin durch kriegerischen Schutz eine feste Ordnung der Dinge geschaffen, ist die Zeit friedlicher Wirtschaftlichkeit und reger allseitiger Verbreitung der Früchte der Cultur gekommen. Beóva oder Beáva (beáv, beó apis) war ein Bienengott oder Bienenvater, wie der griechische Aristäos, der auch für einen Gründer uud Urheber der ersten Cultur galt, und wie dieser den Apollo, so vertritt und bedeutet jener nur den Frey. Und dieser Gott, dem ja überhaupt die Werke des Friedens und der friedlichen Cultur obliegen, kann auch für einen Gott des Meths und weiterhin der Bienenzucht gehalten werden. [1] „Als Beóvulf, als Träger der epischen Sage oder der Mythen von den Kämpfen mit Breca, Grendel und dem Drachen zeigt Beóva freilich nichts mehr von dem Charakter, den der Name ihm beileigt. Die Mythen gehörten ursprünglich eben dem Gotte an, dessen Beiname in dem angegebenen Sinne Beóva war, und bildeten ohne Zweifel einst mit dem Mythus von Sceáf eine zusammenhängende Reihe von Sagen, von seiner Ankunft, Jugend, Heldentat und seinem Hingang, sie rückten aber, wie im

---

[1] Nachweise bei Müllenhoff, H. Z. XII p. 283.

Gedicht sogar der Mythus von Sceáfs Ankunft
auf Scild übertragen ist, durch die Genealogie
bis zu dem Namen Beóva vor, wo sie durch
den Sohn Ecgþeóvs, den Geáten Beóvulf,
sich mit der Geschichte verbanden." Müllenhoff.
Auf den letzteren werden wir in dem folgenden
Capitel, welches über die Geáten und ihre
Dynastie handeln wird, zurückkommen.

· Sein Nachfolger ist nach der ags. Genealogie
Taetva, der Frohe, Heitre, Liebliche [1]), als
Sohn des Gottes der Methbereitung und der
Bienenzucht. Aber unser Lied betritt hier den
historischen Boden: Beóvulfs Sohn ist Healfdene, eine unzweifelhaft historische Persönlichkeit, die sowol bei Saxo uns begegnet, als auch
in der altnordischen Sage vom König Hrolf
Kraka. Saxo läszt zunächst Dan und Angul,
von denen der Dänen Ursprung herkomt (e quibus
Danorum coepit origo), abstammen von Humblus; die Söhne des Dan sind nun widerum
Humblus und Lotherus, von dem letzteren
stamt ab Scyoldus, wie wir oben sahen der
Sceldva der angelsächsischen Genealogien und
der Scyld des Beóvulfliedes. Weiterhin treffen
wir in derselben Genealogie (2 Namen über-
springend) auf Frotho und dessen Söhne

---

[1]) altn. teitr, ahd. zeiz (ags. taet?). Ahd. ist Zeiz, Zeizo (wie
altn. Teitr) ein beliebter Mannsname. cf. Grimm, Mythol. Anh.
XVI. Müllenhoff, H. Z. VII, 414. Anm.

Haldan [1]) Roe und Scato (p. 80 ed. Müll.);
der erstere ist natürlich unser Healfdene.
Dessen Söhne waren Roe und Helgo (ibid.).
Nach dem Dichter der Einleitung hatte Healf-
dene 3 Söhne: Heorogâr, Hrôðgâr und
Halga (Beóv. 61), auszerdem wird ihm eine
Tochter beigelegt Elan, die, wenn Ettmüllers
Ergänzung (v. 62) richtig ist, an den Schweden-
fürsten, den Scylfing Ongenþeóv vermählt war.
Der Sohn des Helgo ist nun nach Saxo Rolvo,
der in der nordischen Sage gefeierte Hrolf
Kraka, als dessen Vorgänger in derselben Sage
Hrôar und Helgi genant werden. Von dem
in unserem Liede erwähnten ältesten Sohne
Healfdenes Heorogâr erfahren wir weder
bei Saxo noch in der nordischen Sage etwas;
von ihm sagt Hrôðgâr (Beóv. 465 ff. im
ersten alten Lied), er habe nach dem Tode des

---

[1]) Auch die ältere Edda (Hyndluhlóð 12—14) nent als Vater
des Halfdan den Fróði; als Bruder desselben erscheint dort
Ali und als Schwester Hlêdis. So fasze ich mit Ettmüller
(Beóvulf p. 20) die Stelle. Der Sohn der Hlêdis ist der Scylfing
Ohtere (Ottârr) vgl. unten. „Halfdan ist der im Norden
berühmte Halfdan gamli (Snorra Edda I, 516 = Skaldskaparm. 64),
von dem alle nordischen Geschlechter ihren Ursprung herleiten:
er habe durch ein Opfer verlangt, dasz er dreihundert Jahre alt
werde, und die Antwort sei gewesen, dasz er selbst nicht länger
leben wolle, als ein Menschenalter, dasz aber dreihundert Jahre
lang kein unedler Mann oder Frau in seiner Familie geboren
werden soll. Er war ein groszer Krieger und fuhr weit um
austrevegu; im Zweikampf erlegte er den König Sigtrygg und
heiratete die Alvig, die Weise, die Tochter des Königs Emund
or Holmgarði: sie hatten achtzehn Söhne“. Holtzmann, Aelt.
Edda p. 285.

Heregâr, seines älteren Bruders, des Sohnes des Healfdene, das Volk der Dänen beherscht: se väs betera ponne ic! Er scheint nicht lange regiert zu haben. Roe, Hrôar und Hrôðgâr sind ein und dieselbe Persönlichkeit, ebenso Helgo, Helgi und Halga, und der Sohn des letzteren Rolvo ist der Hrolf Kraka der nordischen Sage, der Hrôðulf des Beóvulfliedes. Von dem letzteren erzählt der sagenkundige Interpolator, er sei als kleines Kind, wahrscheinlich nach dem Tode seines Vaters, von seinem Oheim Hrôðgâr aufgenommen und erzogen worden (1181 ff.), und Hrôðgâr's Gemahlin Vealhpeóv spricht die Hoffnung aus, dasz er den beiden Söhnen Hrôðgâr's Hrêðrîc und . Hrôðmund, wenn jener einmal dahingegangen, ein guter Beschützer sein werde (ebendas.). Diese Hoffnung scheint sich aus mehrfachen Andeutungen nicht bewahrheitet zu haben, denn aus 1164 f. (ebenfalls einem Interpolator angehörig) erhellt, dasz die beiden „suhtorgefaederan" nicht immer Freundschaft und Treue gehalten, da es heiszt: þâ gyt väs hiera sib ätgädere, aeghvylc ôðrum trŷve. Angespielt darauf wird auch im Wandersliede (45 ff.), wo der Sänger erzählt: Hrôðvulf und Hrôðgâr hätten am längsten Frieden zusammen gehalten, die Geschwisterkinder, seitdem sie der Vicinger Geschlecht vertrieben, und des Ingeld Schwertschneide abwanten und in Heorot der Heaðo-

barden Herlichkeit vernichteten. Auf diese
Erzählung und den Vicinger- oder Heaðobarden-
fürsten Ingeld, den Ingellus des Saxo, werden
wir unten zurückkommen, hier genügt die blosze
Anführung. Nach den beiden angeführten
Stellen ist es übrigens wol als ziemlich sicher
anzunehmen, dasz Hrôðulf seinen greisen Oheim
später vom Throne gestürzt oder doch nach
dessen Tode die Söhne Hrôðgârs vertrieben
und des Thrones beraubt habe. Uebrigens
erscheint bei Saxo (p. 132 ff. ed. Müll.) als
einer der Nachfolger Rolvo's ein Röricus, in
welchem unschwer Hrôðgâr's Sohn Hrêðric
zu erkennen ist. Dieser mag nach dem Tode
seines Vetters seine Rechte wider geltend gemacht
und sich selbst auf den Thron gesetzt haben. —
Die Gemahlin Hrôðgârs ist Vealhþeóv, aus
dem Hause der Helminge, Tochter des Helm,
des Helden der Vylfinge, worüber unten weiter
im Zusammenhange. Das weitere Schicksal des
Hauses der Scyldinge erfahren wir im Beóvulf
nicht mehr. —

Was die beiden eingeschobenen Reihen in
den angelsächsischen Genealogien, die wir oben
p. 67 einstweilen auszer Acht gelaszen haben,
anbetrifft, also die Linie: Bedvig, Hvala, Hathra,
Itermon, Heremôd, ferner die Hypostasien des
Gottes Freyr; Godvulf (Folcvald), Finn, Friðuvulf, Freávine, Friðuvald [von denen wider zu
unterscheiden ist Geát, Vôden], so wird die

erstere besonders berührt werden bei der Untersuchung über die beiden Episoden des Heremôd im Beóvulf (901—915. 1709—1727), die letztere sowol in dem nun folgenden Capitel über die Geáten, als auch bei der Besprechung der Episode von Finn und dem Ueberfall in Finnsburg (Beóv. 1068—1159).

Cap. 2.

Die Geáten (Gauten) und die Dynastie der Hröðlinge.

Während der Dichter der Einleitung in
seinem Liede den entschiedenen Anlauf macht
zur Verherlichung der ruhmreichen Dänenkönige,
ja die letztere gewissermaszen als Tendenz des
Ganzen hinstellt, schildert uns gleich das erste
alte Lied Beóvulfs Taten und stellt sie in den
Vordergrund. Und die sämtlichen Fortsetzer
und Interpolatoren beschäftigen sich nur mehr
mit Beóvulf's des Geáten herlichen Heldentaten:
die Dänen und ihre Könige verschwinden allmählich, rasch eilen die Dichter über eine
geraume Zwischenzeit, die hauptsächlich durch
die Referate des sagenkundigen Interpolators B
über Hygelâc's Feldzug und Tod bei den
Franken und Friesen und seines Sohnes Heardrêd Fall gegen die Schweden ausgefüllt wird,
hinweg, Beóvulf wird König und seine weitere
Heldenlaufbahn bis zum Tode bildet den Haupt-
gegenstand des zweiten alten Liedes, untermischt
mit weiteren Interpolationen über die Schweden-
kämpfe, und somit des ganzen Epos rührenden
und erhebenden Ausgang.

Die Mannen Hygelâc's und Beóvulf's, die

Gefährten ihrer Heldenkämpfe, die Geáten, erscheinen zunächst in allen Teilen des Gedichts unter diesem Namen (195. 205. 250. 260 u. s. f.), alsdann nennen die Dichter sie Vederas (schon 225, ferner 423. 498. 697. 2336. 2462. 3037. u. s. f. stets im Gen. plur. Vedera) und in vollständiger Form vielfach Vedergeátas (1492. 1612. 2379. 2551); ferner heiszen sie in der von dem 1. Interpolator A angefügten 2. Fortsetzung (III) 1850 und 1986 Saegeátas und ein Mal in einer von A interpolierten Stelle der 1. Fortsetzung Gûðgeátas, zur Bezeichnung ihrer kriegerischen Eigenschaften. Der Interpolator B kent als Burg oder Vorgebirge ihres Landes Hreosnabeorh (2477), um welche Feste sich die Kämpfe mit den Schweden drehen, mit dem Scylfing Ongenþeóv und seinen Söhnen; eine Burg Hygelâcs wird erwähnt 1923 ff. 1968. Hreosnabeorh deutete zunächst Rieger[1] als „Felsberg" von hreóse neben hrûse, rupes, und schreibt in Folge dessen auch Hreósnabeorh. Aber diese Form hreóse neben hrûse hat keine Stütze; daher glaubt Bugge[2], dasz Hreosnabeorh verschrieben ist statt Hreofnabeorh, Hrefnabeorh: s und f sind in den Codd. sehr ähnlich und Conybeare gibt sogar an dieser Stelle hreofna als handschriftliche Lesart. So hätten

---

[1] Alt. und ags. Lesebuch p. 286.
[2] Zeitschr. f. d. Phil. IV, 216.

wir ein Hre(o)fnabeorh, ähnlich wie die
unzweifelhaft in der Nähe gelegenen Localitäten
im Geátenland Hrefnavudu und Hrefnesholt
(Rabengehölz), 2925. 2935, wo der Schweden-
könig Ongenþeóv den Geátenfürsten Haeðcyn
erschlägt. „Die Ortsnamen Hrafnaberg, Hrafns-
berg sind im scandinavischen Norden wie
Hramnsberg in Deutschland häufig". [1] Somit
dürfte auch betreffs der Lage der Burg Klarheit
herschen: während die obenerwähnte Burg
Hygeláes unbedingt im Westen des Landes,
etwa den Dänen gegenüber oder vielmehr ihnen
zugewant zu suchen ist, so kann unsere Raben-
burg doch nur ein propugnaculum gegen die
nördlich und nordöstlich von den Geáten wohnenden Schweden gewesen sein, also etwa da,
wo das Schwedengebiet beginnt, in der Nähe
der groszen Seen gelegen haben.

Einen Anhalt zur näheren Bestimmung
ihrer Wohnsitze dürfte der Name Vederas,
Vedergeátas gewähren. Zeusz [2] denkt an
den Wettersee (Anwohner des Wettersee's?),
auch Thorpe verlegt sie dahin, besonders zur
Stütze seiner schiefen Ansicht von den Quellen
des Beóvulf, welcher zufolge er annimt, dasz
das Gedicht „eine metrische Umschreibung einer
im Südwesten Schwedens in der alten gewöhn-
lichen (common) Sprache des Nordens verfaszten

---

[1] Vgl. auch Förstemann, Altd. Namenb. II, 767.
[2] Die Deutschen u. d. N. p. 512 Anm.

Heldensage ist, die wahrscheinlich während der
Herschaft der dänischen Dynastie nach England
gebracht wurde." [1]   G r i m m tritt der Ansicht
von Zeusz entgegen aus lautlichen Gründen
(wegen des doppelten tt in Wettersee) und ist
versucht zu denken an eine Verschreibung aus
V e s t e r g e á t a s. [2]   Eher liesze sich der Name
widererkennen in der zur Provinz Halland gehörigen Insel V ä d e r o e oder V e i r o e, altn.
V e ð r e y, nordöstlich von Seeland, sowie in der
weiter nördlich gelegenen und zu Vestergotaland
gehörigen Inselgruppe V ä d e r v e a r n e. [3] Unsere
Geáten sind ja Seeleute, von ihren Küsten und
Inseln aus unternehmen sie ihre See- und Heer-
fahrten, ihre kühnen Wikingerzüge; daher
heiszen sie auch S a e g e á t a s.

Wir wären mit den in unserem Liede gelieferten Andeutungen über ihre Wohnsitze
fertig, es dürfte nunmehr, wie auch im vorigen
Capitel geschehen, an der Zeit sein, aus ander-
weitigen Zeugnissen ihre Spur aufzufinden und
ihren Stamsitz sowol wie ihren Zusammenhang
mit anderen Völkern zu erforschen. Und da
liegt es denn nahe, die Frage aufzuwerfen, wie
sich die G e á t e n, in deutscher Namensform
G a u t e n, zu dem berühmten Stamme der
G o t e n verhalten, ob sie, wie bereits die ab-

---

[1] Vgl. B o u t e r w e k, Haupt's Z. XI, 66.
[2] G. d. d. Spr. 312.
[3] G r e i n, Eberts Jahrb. f. rom. u. engl. Lit. IV, 262.

geleitete Namensform andeutet, mit ihnen im Stammesverhältnisse stehen und auf welche Weise sie mit ihnen zusammenhängen dürften? Da haben wir uns denn nach den ältesten Nachrichten zunächst über den älteren, bereits früher hervorgetretenen Stamm der Goten näher umzusehen und zu diesem Behufe etwas weiter auszuholen.

Nach dem ältesten Zeugnisse bei Tacitus (Germ. 43) finden wir an der unteren Weichsel bis zum Pregel die Gotones. So hat nämlich zunächst (nicht Gothones) der Cod. Medic. bei Tac. An. II, 62, in Uebereinstimmung mit Strabo's *Γούτωνες* (statt des handschr. *Βούτωνες* VII, 1, 39), Plinius' Gutones (N. H. IV, 4, 28), Trebellius Pollio's Austorgoti (Claudius c. 6), Spartians Goti, Gotti (Caracalla cap. 10). [1] Dagegen sind des Ptolemaeus *Γύϑωνες* und die spätere Schreibung der Griechen und Römer *Γότϑοι*, Gothi nicht maszgebend. Ferner im gotischen Kalender (Cod. Ambros. A.) [2] findet sich 2 Mal die Form Gut-þiudai (also Nom. Gut-þiuda), welche Namensbildung unzweifelhaft die gotische Form Gutôs voraussetzt = lat. Goti. Dieser starken Form würde altnord. entsprechen Gotar; den Gotones (schw. F.) entspricht altn. Gotnar, ags. Gotan,

---

[1] Vgl. auch Müllenhoff, Haupt's Z. IX p. 244.
[2] Ulfilas von Stamm-Heyne 5. Aufl. Paderb. 1872 p. 266.

adh. G o z o n. [1]) Eben diese G o t e n sind gemeint im Wanderersliede

> v. 18: Aetla veóld Hûnum, Eormanrîc
> Gotum . . . . .
> . 57: Ic väs mid Hûnum and mit Hrêð-
> gotum . . . u. s. f. [2]),

welchen letzteren altnord. widerum R e i ð g o t a r
entspricht. Diese G o t e n, ursprünglich also
an der Weichsel seszhaft, sind aus ihren Sitzen
daselbst schon früh, etwa gegen Mitte und Ende
des 2. Jahrhunderts, (— denn Ptolemaeus kent
sie in der Mitte des 2. Jahrh. noch in ihren
alten Sitzen an der Weichsel —) ausgewandert,
haben sich zuerst dem Laufe ihres heimischen
Fluszes (Weichsel) nachgehend nach Süden und
Südosten gewant, in dem Flachland im Osten
und Süden der Karpathen, in den alten Sitzen
der Geten, Daken und Scythen, sich nidergelaszen, die angrenzenden Völker germanischen
und sarmatischen Ursprungs in den polnischen
und südrussischen Hochebenen mit sich vereinigt und allmählich ein Reich gestiftet, welches
sich vom Ufer der Theiss ostwärts bis zum

---

[1]) Nicht hierher gehören die bei Tacitus (Germ. 43) erwähnten
G o t i n i oder vielmehr C o t i n i nach Dio Cassius LXXI 12, 3:
Κοτινοί (Müllenhoff, H. Z. IX, 243 f.), mit noch anderen
zum Teil nicht germanischen Völkern im Rücken der Marko-
mannen und Quaden wohnend, von denen der Historiker sagt:
Cotinos Gallica — lingua coarguit non esse Germanos. Sie werden
k e l t i s c h e r Abstammung gewesen sein. Vgl. auch D i e f e n b a c h,
Origines Europaeae p. 137. 139.

[2]) Ueber die Hrêðgoten, Hrêðmen u. s. f. vgl. oben p. 35 f.

Don und von den Donaumündungen und den pontischen Gestaden bis über die Karpathen hinaus erstreckte. Zum ersten Mal tönt aus diesen Gegenden ihr Name zu Anfang des 3. Jahrh. bei Spartianus (Vit. Anton. Carac. cap. 10): (Caracallus) cum Germanici et Parthici et Arabici et Alemannici nomen adscriberet (nam Alemannorum gentem devicerat), Helvius Pertinax, filius Pertinacis, dicitur ioco dixisse, adde, si placet, etiam Geticus Maximus, quod Getam occiderat fratrem, et Gotti Getae dicerentur, quos ille, dum ad orientem transiit, tumultuariis proeliis devicerat. Vgl. desselben Vit. Antonin. Getae c. 6. [1]) Die ganze folgende Zeit ist ausgefüllt mit Kämpfen gegen Rom, oft drangen sie siegreich vor und drohten den morschen Bau des römischen Reiches schon jetzt über den Haufen zu stürzen. Aber tapfere Imperatoren, wie besonders Decius, Claudius II und Aurelianus besiegten sie in groszen Schlachten, der letztere war jedoch genötigt, ihnen Dacien abzutreten (271).

In der eben angeführten Stelle aus Spartianus sahen wir bereits, dasz die Goten an der Donau Geten genant worden sind; so bei den meisten Schriftstellern und Dichtern der seit dem 3. Jahrhundert von Kämpfen mit den Goten erfüllten Kaiserzeit. Ja, nicht allein in

---

[1]) Zeusz, Die Deutschen u. s. f. p. 401.

Namen, sondern auch in Ursprung setzte man sie gleich. Sofort nach ihrem ersten Auftreten an der Donau finden wir diesen Gebrauch bei Dichtern, Rhetoren und Gelehrten, wenngleich die eigentlichen Geschichtschreiber der Zeit sich davon fern hielten, oder sich wie oben Spartianus auf beiläufige Erwähnung des Gebrauchs beschränkten. [1]

Es war die alte Heimat der G e t e n und D a k e n, wo die Goten sich nidergelaszen; die erstern waren bereits seit V e s p a s i a n vom Schauplatze der Geschichte verschwunden, die letzteren hatte T r a j a n bezwungen. So war denn der Name der G e t e n (in Verbindung mit dem der Daken), „herrenlos wie er war", auf die G o t e n übergegangen. Die Geten und Daken sind so gut in Goten aufgegangen, als die zahllosen Stämme in den polnischen und südrussischen Hochebenen, als die skythischen Stämme am Pontus. Besonders seit ihrer Trennung in O s t r o g o t i (auch genant G r e u - t h u n g i) und W i s i g o t i (auch T h e r v i n g i), seit der Mitte ungefähr des 4. Jahrh. dehnte sich der Name der Goten immer mehr aus; die ersteren verbreiteten sich über den äuszersten Osten, die sandigen Steppen am Palus Maeotis und den Nordrand des Pontus; diese westlich

---

[1] G r i m m, Gesch. d. d. Spr. p. 217. Müllenhoff, Art. Geten in Ersch und Grubers Encyolopädie Sect. I. Bd. 64 p. 468 f. Bei beiden finden sich die Quellennachweise.

vom Dnjepr (Borysthenes) über die waldigen und grasreichen Gegenden zwischen der Niderdonau und den Karpathen und in Südrussland.[1])

. Vor allem nun die Aehnlichkeit der Namen begünstigte oder beförderte eine völlige Verschmelzung der G o t i und G e t a e. Hierzu kam noch, dasz schlieszlich bei den Goten selbst der Glaube entstand, sie seien mit den Geten ein und dasselbe Volk, und es ist besonders J o r n a n d e s, der durch Vermengung und Compilation gotischer und getischer Geschichte diesem Glauben möglichsten Vorschub leistete: „er glaubte seine oberflächliche Excerpierung von Cassiodor's gotischer Geschichte auch mit Abschnitten aus Trogus Pompeius über die Geten und mit Auszügen aus den Geticis des Dio Chrysostomus ausstatten zu dürfen." Auf diese bodenlos oberflächliche Combination gotischer und getischer Geschichte gründete nun J a c o b G r i m m seine Ansicht von der Identität der G e t e n und G o t e n einerseits, andererseits der D a k e n und D ä n e n, und suchte mit allem Scharfsinn seines reichen Geistes und mit dem

---

[1]) Vgl. Z e u s z, Die Deutschen p. 407 f. G r i m m, Gesch. d. d. Spr. p. 314. Leo, Universalgesch. II, 78. M ü l l e n h o f f, H. Z. IX., 136 f. Der Name der G r e u t h u n g e n, G r i u t h u n g e n leitet sich nach Zeusz her von got. griut, altn. griot, ags. greot, ahd. kreoz, arena, glarea, saxum, also: „Bewohner von Berg- und Landgegend"; T h e r v i n g i, T e r v i n g i, T r i v i n g i (von triu arbor) sind Waldbewohner? Unter den O s t g o t e n blühte bekantlich E r m a n a r i c h, der dem ersten Anprall der Hunnen erlag.

Aufwande einer stupenden Gelehrsamkeit besonders in seinem sonst ausgezeichneten Werke,
Geschichte der deutschen Sprache, diese Behauptung aufrecht zu erhalten. Diese Aufstellung des groszen Gelehrten hat nun gar
wenig Freunde, aber desto mehr Gegner gefunden. [1]) Wir haben eben in der Kürze versucht, den richtigen Sachverhalt darzulegen,
eine ausführliche Darstellung liegt dem Zwecke
und der Aufgabe dieser Schrift fern, und wir
glaubten nur . der Vollständigkeit wegen auf
diose Frage kurz eingehen zu müszen. In Betreff
der sprachlichen Fehlgriffe und Sonderbarkeiten
Grimms seinen Geten und Daken, Goten und
Dänen zu lieb verweise ich besonders auf die
treffenden und schlagenden Bemerkungen Müllenhoff's in der so eben angeführten Abhandlung, welcher ich nicht wenig verdanke;
in der sachlichen Widerlegung der Grimmschen
Hypothese zeichnet sich meines Erachtens am

---

[1]) Völlig einverstanden mit Grimm erklärt sich H. Leo in
seinen beiden Werken: Vorlesungen über die Geschichte des
deutschen Volkes und Reiches, Halle 1854, bes. Bd. I, p. 83 ff.
258 ff.; Lehrbuch der Universalgeschichte, Halle 1851 Bd. II,
p. 26 ff. u. öfter. Gegner Grimms: Waitz, Deutsche Ver-
faszungsgeschichte, 2. Aufl. B. I. Kiel 1865., bes. p. 5 Anm.;
Müllenhoff, Art. Geten in Ersch' und Gruber's Encycl. Sect. I,
Bd. 64 p. 448 ff.; von Wietersheim, Geschichte der Völkerwanderung II. (Leipz. 1860) p. 108 ff.; Holtzmann, Kelten und
Germanen, Stuttgart 1855 p. 14 ff. u. a. m. Vgl. auch Diefenbach, Origines Europaeae, p. 69 f. Es ist nach den Ausführungen
dieser und anderer Gelehrten die Sache als erledigt zu betrachten.

meisten aus von Wietersheim in seinem ebenfalls citierten vortrefflichen Werke.

Ungleich wichtiger für uns ist die bekante Behauptung des Jornandes, die er aus der lebendigen Volkssage, aus Liedern und älteren Schriften geschöpft haben will, dasz nämlich seine Goten in ältester Zeit aus Scandinavien nach Germanien und später zur unteren Donau ausgewandert seien. Er sagt cap. 4: Ex hac igitur Scandza insula quasi officina gentium aut certe velut vagina nationum cum rege suo Berig Goti quondam memorantur egressi: qui ut primum e navibus exeuntes terras attigere, illico loco nomen dederunt. nam hodieque illic ut fertur Gotiscandza vocatur. Wo wir diese Gotiscandza zu suchen haben, bleibt wenigstens nach den Worten des Jornandes ungewis; jedenfalls wäre es absurd, dieselbe in Scandinavien selbst zu vermuten, wie von mancher Seite geschehen ist. Wir haben oben (p. 43 ff.) gesehen, dasz die Bezeichnung Scâdenauge, Scedenîg nicht allein für Scôneg (Schonen), sondern auch für die Gegend an der unteren Elbe usurpiert worden: die langobardische Sage übertrug diesen Namen auf die eigentliche wahre Heimat des Volkes an der unteren Elbe. Ueberhaupt scheint es, dasz nach der Wanderung und der Einnahme neuer Sitze sich unter den deutschen Völkern allmählich der Glaube verbreitete, dasz sie sämtlich von der Insel Scandi-

navia ausgegangen seien, daher die häufige
Uebertragung dieses Namens auf ihr eigentliches
wahres Stamland. [1]) So und nicht anders,
glauben wir, ist es zu erklären, dasz hier am
Ostseestrande nach Jornandes ein neues Gotiscandza auftaucht: ihren eigenen Ursitz, ihr
Stamland an der Weichsel belegen sie mit
diesem Namen, der die Scandza, ihre Pseudo-
Urheimat, mit Anschweiszung des eigenen
Stamnamens, als Stamland gleichsam legiti-
mieren soll. Die weiterhin bei Jornandes
erzählten Facta erklären sich nunmehr in be-
friedigender Weise. — Von diesem ihren Stamsitze aus haben sie sich westlich und südwestlich
wohnende Völker dienstbar zu machen gesucht;
Jornandes fährt nämlich fort: unde mox promo-
ventes ad sedes Ulmerugorum, qui tunc
Oceani ripas insidebant, castra metati sunt eosque
commisso proelio propriis sedibus pepulerunt,
eorumque vicinos Vandalos iam tunc subiu-
gantes suis applicavere victoriis. Beszer: sie
haben sich bald aus ihren Grenzen hinausgewagt
und ihre Kraft mit den anliegenden Völkern
gemeszen: zuerst sind ihnen die Ulmerugi
verfallen und dann haben sie auch die Vandalen unterjocht und an sich gefeszelt. Die
Ulmerugi, d. i. Inselrugen, Holmrugi,
hausten wahrscheinlich auf den Inseln der Ostsee-

---

[1]) Vgl. Müllenhoff, Haupt's Zeitschr. VII, 417.

küste (der Odermündungen), auch mögen sie weiterhin nach Osten, bis zur Weichselmündung etwa, den Ostseestrand bewohnt haben. So bilden sie wol einen Teil der nach Tacitus (Germ. 43) zwischen Oder und Weichsel ansäszigen Rugii. Auch die späteren normannischen Rugen, altn. Rygir im norwegischen Rogaland und auf den Inseln heiszen in der Skaldensprache Holmrygir (Heimskr. 1, 97. 156), [1]). Der Name der Rugii und Ulmerugi ist an der Ostseeküste bekantlich haften geblieben in dem Namen der Insel Rügen.

Die Vandalen kennen die ältesten Nachrichten noch nicht als einen einzelnen, selbständigen Stamm, vielmehr als einen Völkerbund, oder beszer als eine allgemeine Bezeichnung für Nord- oder Nordost-Germanen. So führt Tacitus (Germ. 2) den Namen Vandilii als alten Stamnamen neben den Marsi, Gambrivii, Suebi an (— eaque vera et antiqua nomina —). Noch deutlicher erhellt das aus Plinius N. H. IV, 28; Germanorum genera quinque: Vandili, quorum pars Burgundiones,

---

[1]) Vgl. Zeusz, Die Deutschen u. s. f. 154. 484. Grimm, Gesch. d. d. Spr. 328. von Wietersheim, Völkerwanderung II, 96. K. Maurer, Islands und Norwegens Verkehr mit dem Süden. Zeitschr. f. deutsche Phil. II, 445. In dem vorhergehenden Capitel erwähnt Jornandes, gleichsam im Gegensatze zu den Ulmerugi, auf Scandza selbst auch die Ethelrugi, d. i. Bewohner des inneren Landes (ags. êðel, ahd. uodil, patria).

Varini, Carini, [1]) Gutones. Es sind das alles
Stämme des Nordostens von Germanien (— unsere
Goten sind selbst mitgezählt —), wenigstens
bilden sie einen vermittelnden Uebergang zu den
eigentlichen Nordgermanen [2]) und beziehungs-
weise den Sarmaten. Später lernen wir die
eigentlichen Vandalen in engerem Sinne kennen
und zwar zunächst als Waffengefährten der
Quaden und Markomannen in dem groszen
sog. Markomannenkriege gegen Mark Aurel,
und auch sonst begegnen sie uns gewöhnlich
in der letzteren Gesellschaft. [3]) Darnach wohnten
sie im Rücken der Markomannen, etwa am südlichen oder südwestlichen Abhange der Sudeten
(resp. des Riesengebirges): die Elbe entspringt
auf ihrem Gebiete ($\dot{\varrho}\varepsilon\tilde{\iota}$ $\delta\grave{\varepsilon}$ [$\dot{o}$ $\H{A}\lambda\beta\iota o\varsigma$] $\dot{\varepsilon}\varkappa$ $\tau\tilde{\omega}\nu$
$o\dot{v}\alpha\nu\delta\alpha\lambda\iota\varkappa\tilde{\omega}\nu$ $\dot{o}\varrho\tilde{\omega}\nu$ Dio Cassius LV, 1). Aber in
der älteren Zeit, von welcher Jornandes zu reden
scheint, haben sie, die einst einem ganzen
zusammengehörigen Völkercomplexe den Namen
gegeben, vielleicht noch etwas nördlicher geseszen, hart an der Grenze des Gotengebietes,
etwa da, wo die Weichsel in der Nähe von
Thorn eine gewaltige Biegung nach Südosten

---

[1]) Die Lesart ist ziemlich unsicher; der Cod. Leidens. Vossi-
anus hat: varinne charini. Vgl. Müllenhoff's Ausg. d. Germania p. 93.

[2]) Entrop. VIII, 13. Dio Cassius LXXVII, p. 1305 (ed. Reim.);
auf der Tab. Peutingeriana sind die Vanduli verzeichnet zwischen
den Markomannen und der Donau.

[3]) Zeusz, p. 444. Waitz, Deutsche Verfaszungsgesch. I, 73.

macht, und sind durch das Drängen der Goten
nach Süden geschoben worden. [1])

Die weitere Erzählung bei Jornandes, freilich
immerhin noch sagenhaft genug, betritt wenigstens den Boden des Wahrscheinlichen: schon
unter dem 5. König nach Berig wandern sie
widerum wegen Uebervölkerung aus und zwar
nach Scythien, und kommen nach siegreichen
Kämpfen ad extremam Scythiae partem, quae
Pontico mari vicina est. Die weiteren Schicksale
der Goten in diesen Gegenden sind nun einesteils oben kurz berührt worden, andererseits
hat eine weitere Ausführung der Gotengeschichte
für unseren Zweck keinerlei Bedeutung.

Also mit einer Wanderung aus Scandinavien
ist es nichts, vielmehr dürfte sich die Sache
nachgerade umgekehrt herausstellen. Im vorhergehenden (dem 3. Capitel) nent Jornandes
unter der Urbevölkerung Scandziens auch die
Gautigoth, acre hominum genus et ad bella
promptissimum. Anscheinend eine sonderliche
Mischung, ist das Wort doch sehr einfach zu erklären als Gautigôs (got. Plural) d. i. Gautôs. [2])

---

[1]) In der allgemeinen Bewegung der Völkerwanderung brachen
auch sie aus ihrer Heimat auf und begannen ihren Zug der Länge
nach durch das westliche Europe (Gallien und Spanien) bis in
einen anderen Erdteil (Afrika), in welchem sie nach kurzem Glanze
untergingen.

[2]) So Zeuss, Die Deutschen p. 505 Anm. 511 Anm. Eine
tautologische Zusammensetzung ist es nicht, denn sonst hätte er
neben Ostrogothae auch Gautigothae geschrieben. Gegen Zeuss
Grimm, G. d. d. Spr. 809.

Weiter hinter sie setzt er die Ostrogothae,
Raumariciae, Ragnaricii, Finni u. s. w.
Die ersteren (die übrigens Jornandes, obgleich
er doch richtig vorher Gautigôs — Gautôs
schrieb, in Goten verderbt hat), sind die Be-
wohner des heutigen Oestergotland, altn.
Eystragautland im Gegensatz zu Vestra-
gautland, und noch heute ist die Reihenfolge
der dortigen Länder: Raumariki, [1]) schwed.
Vermaland, Gautland. Es sind die altnordischen
Gautar Snorri's, deren Land er Gautland
nent, obgleich die Insel an der Ostküste
Schwedens bei ihm wider in confuser Ver-
mengung Gotland heiszt. So kent schon
Ptolemaeus auf seiner Σκανδία als die südlichen
Bewohner der „Insel“ Γοῦται καὶ Δαυκίωνες; [2])
Procop (Bell. Got. II, 15) sagt: (τῶν Θουλιτῶν)
ἔθνος ἓν πολυάνθρωπον οἱ Γαυται εἰσιν. Spätere
Schriftsteller des Mittelalters sind sich in der
Namensform widerum unklar: so nent sie Adam
von Bremen Gothi (de situ Daniae c. 231)
und sagt von ihnen: proximi ad nos habitant
Gothi, qui Occidentales dicuntur; alii sunt
Orientales. Verum Vestergothia confinis
est provinciae Danorum, quae Sconia dicitur
— deinde Ostrogothia protenditur iuxta

-----

[1]) Ueber die Raumariciae, die Heaðoreámas des Beóvulf unten Cap. 3.

[2]) wofür Zeusz Δαυκίωνες lesen wollte (p. 158); dagegen
Grimm, G. d. d. Spr. 508, der nun seinerseits aus Δαυκίωνες
Kapital für seine Daken schlagen will. Warum nicht Δαυκίωνες?

.mare quod Balticum dicitur, usque ad Birham
(d. i. Birka am Mälarsee, wahrscheinlich auf
der Insel Biörkö). Adam geht freilich in der
Grenzbestimmung etwas ungenau zu Werke;
jener nördliche Punkt gehört bereits zu Svearike. Und wenn er vom Göta-elf sagt (d. s.
D. 229), er fliesze mitten durch gotisches Gebiet
in den Ocean, so wird er bereits durch den
Scholiasten dieser Stelle corrigiert, der anmerkt:
Gothelba fluvius a Nordmannis Gothiam separat.
Als genaue Grenzen hätten wir im Nordwesten
und Norden den Gotaelf und den Wenersee,
alsdann weiter die nördlichste Spitze des Wetter-
sees und von da dieselbe Grenze, die noch jetzt
Svearike von Götarike trent. Alsdann besitzen
sie die Ost- und Südostküste ihres Landes, einen
kleinen Teil der Südküste und einen geringen
Teil der nördlichen am Götaelf belegenen Westküste; die anderen westlichen Landstriche
Halland und im Süden zum Teil Smaland waren
von den Dänen besetzt.

Doch ein wichtiger Anknüpfungs- und
Berührungspunkt zwischen beiden Völkern er-
gibt sich aus einer Ueberlieferung bei Jornandes
(Cap. XIV), die sich in graue Vorzeit verliert.
Nach seiner Angabe ist der Stammherr der
Goten Gapt d. i. Gaut: gotisch würde er
lauten Gauts, altn. Gautr, ags. Geát, ahd.
Gôz. Altn. ist Gautr Beiname Odhins [1]);

---

[1]) So Grimnism. 54. Zur Hand habe ich die neueste Ausg.

der selbe Gott wird auch genant Gautaspialli, der Gautenfreund.[1]. So ist auch der ags. Geát Sohn oder Vorfahre Vôdens, d. h. er bedeutet eine Hypostasie desselben Gottes. (vgl. oben Cap. 1), und steht an der Spitze angelsächsischer Dynastien. Wie wir oben hatten lat. Goti, Gotones, got. Gutôs, altn. Gotar, Gotnar, ags. Gotan, ahd. Gozon, so entwickelt sich daneben die Reihe ihrer Stammesgenoszen und ihres Eponymus: got. Gaut, Gautôs (griech. *Γαυται*, *Γυται*) altn. Gautr, Gautar, ags. Geát, Geátas, ahd. Gôz[2]), Gôzâ. Anders natürlich Grimm seinen Geten zu lieb.[3]

Aus den vorhergehenden Nachweisungen erkennen wir die offenbare Stammesgenoszenschaft beider Völker, der Goten und Gauten; beide haben den gleichen Eponymus, dessen Name freilich lautlich mehr zu den letzteren zu passen scheint. Aber doch ist der Name der Goten der ursprünglichere, und durch den Ablaut des o oder u zu au kenzeichnet sich

d. ält. Edda von Karl Hildebrand, Paderborn 1876. Gaut = sagax: vgl. Graff, Ahd. Sprachsch. IV, 174.

[1] Egill Skallagrîmsson. Sonar torek: Dietrich's altnord. Leseb. p. 60, 29. Sonst steht mir der Text nicht zu Gebote.

[2] Dieses Wort, als Beiname des deutschen Wuotan ist häufig in altdeutschen Namen: Graff, Ahd. Spr. IV., 280 f. Förstemann, Altd. Namenbuch I, 493 ff. Müllenhoff, Haupt's Z. VII, 530.

[3] In Grimms Reihe: Getae, Gupans (vgl. oben) — Gaudae, Gautôs, ags. Geátas, sind die Gaudae aus einer falschen Lesart bei Plinius eruiert; die besten Codd. haben Caugdae (?).

der Name der Gauten (Geáten) genugsam als der abgeleitete. Und nach allem vorangegangenen ist es klar, dasz von Scandinavien aus keinerlei Wanderung gotischer oder gautischer Stämme nach Germanien zur Ostseeküste stattgefunden, ebensowenig wie auch Langobarden von da aus zur unteren und mittleren Elbe gezogen sind; beide Völker finden wir in den ältesten Zeiten und den ältesten Nachrichten zufolge in ihren Sitzen, die Goten an der Weichsel, die Gauten in Schonen. Aber in unvordenklicher Zeit, von der keine Kunde zu uns herübergedrungen ist, als der Strom der Germanen sich über die Gefilde Germaniens ergosz, da mag eine Wanderung und Bevölkerung von Germanien aus, eine Trennung des groszen gotischen Stammes und Einwanderung eines Teiles desselben von der Südküste der Ostsee aus nach Scandinavien erfolgt sein. [1]

Auch die angelsächsischen Denkmäler unterscheiden zum teil strenge die Goten und Geáten. So heiszt es im Wanderersliede, in einer bereits mehrere Male angeführten Stelle:

57. Ic vaes mit Hûnum and Hrêðgotum
  mid Sveón and mid Geátum and mid
     Sûðdenum . . .

und 89 wird Eormanrîc ausdrücklich Gotena cyning genant. Auch hat der Sänger beide

---

[1] Vgl. auch Grimm, Gesch. d. d. Spr. p. 812 f., 506 ff. Diefenbach, Origines Europaeae p. 189.

Völker geographisch wol zu placieren gewust,
die Goten neben den Hunnen, die Geáten
zwischen Schweden und Dänen. [1]) Aber
lange Zeit hindurch hat man fälschlich, schein-
bar auf angelsächsische Denkmäler gestützt, die
Geáten mit den Jüten identificiert, und zunächst hat sich H. Leo [2]) durch Ælfred's
Uebersetzung des Beda (1, 15), worin dieser
Juti durch Geátas widergibt, zu diesem
Irrtume verleiten laszen. Es könte sich nun
Ælfred vielleicht haben misleiten laszen durch
die Aehnlichkeit des gautischen und jütischen
Namens, wie Grimm vermutete. [3]) Aber mich
dünkt es wahrscheinlicher zu sein, dasz bei
Ælfred im Beda Geátas wol verschrieben ist
statt Geótas, wie denn auch Rieger, in dem
in sein treffliches alt- und angelsächsisches
Lesebuch aufgenommenen Stücke aus Ælfreds
Orosius, wo für Jütland und die Insel Gotland
widerholt nur Gotland in den Codd. zu finden
ist, dafür, wenn Jütland gemeint ist, stets
Geôtland geschrieben hat. [4])

Aber überhaupt sind die Jüten aus dem
Beóvulf zu verbannen, und es ist unvernünftig

---

[1]) Die ältere Edda kent nur die Gotar d. i. die Goten, die
Reiögoten, die Deutschen.

[2]) Ueber Beóvulf p. 58.

[3]) Gesch. d. d. Spr. 512.

[4]) Vgl. das angef. Leseb. p. 150, 28. 151, 1. Ebendas. p. 352
meint derselbe Gelehrte: „ich denke, der Diphthong im nord.
Jótar konte schon zu seiner Zeit für jô vernommen werden."

zu nennen, wenn manche Herausgeber und Ueber-
setzer die Beóv. 1072. 1088. 1141. 1145. erwähnten eotenas zu einem Volksnamen E o t e n a s
machen und mit J ü t e n · widergeben. Die angeführten Stellen befinden sich nämlich in der
bekanten Episode des Beóvulf (1068—1159),
dem Ueberfall in Finnsburg, den wir auch noch
für sich behandeln werden. Doch laszen wir
hier einen vortrefflichen Kenner der angelsächsischen Sprache sowol, wie des nordischen
und germanischen Altertums, M. Rieger, [1])
reden. „Der Volksname der J ü t e n, von dem
im Wanderersliede [2]) die Form Ytum, in der
angelsächsischen Chronik a. 449 Jotum, Jutum
und Jutna, in Ælfreds Beda 4, 16 Eota, nach
dem Cod. Bened. aber Ytena vorkomt, konte
allerdings, wie man aus Jutna und Ytena sieht,
schwach flectiert werden, und so komt er im
Beóvulf wirklich einmal vor: Geótena leóde =
Jutorum gentiles ist dem Schreiber 143 für
Geáta leóde in die Feder gekommen. Hieran
sieht man jedoch, dasz er den Anlaut des
Namens bereits konsonantisch auffaszte, [3]) und
bei der Form eotena nicht an Jüten denken
konte." Uebrigens ist e o t o n an diesen Stellen

---

[1]) Vgl. Zeitschr. f. d. Philol. Bd. III p. 400 f.

[2]) [v. 26: Osvine veóld Eóvum, Y t u m Gefvulf].

[3]) „Wie schon Ælfred, in dessen Beda I, 15 G e a t a · G e a t u m
und in dessen Orosius Gotland steht, beide verschrieben für
Geota, Geotum und Gotland, aber den Anlaut g bestätigend."
Vgl. oben.

nicht gradezu Riese; es ist eine übertragene Bedeutung anzunehmen: neben der eigentlichen Bedeutung und Bezeichnung älterer, riesenhafter, untergegangener Einwohner des Landes, bezeichnet das Wort auch im allgemeinen übertragenen Sinne alles, was sich in wilder Naturkraft feindselig entgegenstellt, alle widerwärtigen Feinde. So erklärte bereits richtig Leo (Beóv. 67. 80.). Ueberdiesz weisz man hier gar nicht, was man bei diesem Kampfe zwischen Friesen und Dänen überhaupt mit den Jüten, den eingebildeten Eotenas, anfangen soll: an einer Stelle (1072) sind unter den eotenas unbedingt die Dänen, an anderen Stellen 1089 und 1142 ohne Zweifel die Friesen, ihre Gegner, natürlich unter dem allgemeinen Begriff hostis zu verstehen. [1]

Ueber Kemble's irrige Vermengung der Angeln und Geáten haben wir bereits oben geredet; wie schon dort bemerkt, war es zuerst Ettmüller, der in seiner zum öfteren erwähnten Uebersetzung des Beóvulf für die Geáten = nord. Gautar gegen die Angeln auftrat. Ihm folgten alsbald Müllenhoff, Thorpe und Jac. Grimm, wenn wir übrigens von des letzteren oben genugsam gekenzeichneten Irrtümern in Sachen Getae und Gaudae absehen. [2]

---

[1] Vgl. unten: Abtheil. II. Cap. 2. Der Ueberfall in Finnsburg.

[2] Vgl. auch Bouterwek, H. Z. XI, 64. 65., der übrigens für Grimm plaidiert.

Der älteste der in unserem Liede auftretenden Beherscher des Geátenvolkes ist
Sverting, der Groszvater HygeLâcs (1203),
also der Vater Hrêðels, von welchem die
Dynastie die der Hrêðlinge heiszt. Dieser
hat 3 Söhne: Herebeald, Haeðcyn und
Hygelâc (2434) und eine Tochter, die an den
Vaegmunding Ecgþeóv vermählt ist und diesem
den Beóvulf, den Helden des Gedichtes gebirt.
Von Sverting und Hrêðel haben wir keine
anderweitige Kunde; nach unserem Liede, in
einer der schönsten Stellen desselben, sank der
letztere vor Kummer und Leid in das Grab.
Beóvulf erzählt (2426 ff.), wie er, sieben Jahre
alt, an den Hof Hrêðels gekommen und dem
letzteren so lieb geworden sei, wie seine eigenen
Söhne. Aber dem ältesten von diesen, dem
Herebeald, ward durch seinen Bruder Haeðcyn der Tod bereitet; dieser traf ihn mit dem
Pfeile, sein Ziel verfehlend, der Bruder den
Bruder. Das war eine sühnlose Tat, ein ent-
setzlicher Frevel; und doch muste der Sohn
ungerochen bleiben, denn gramvoll ist es dem
greisen Vater zu sehen, wie der Sohn, so jung
noch, am Galgen eine Beute der Raben werde,
ohne dasz der Greis ihm Hülfe zu gewähren
vermag. Jeder Morgen erinnert ihn an den
Tod des Spröszlings, jammernd sieht er in seines
Sohnes Gemache die wüste Halle, worin Winde
ihr Spiel treiben, die Harfe ist verstumt, ver-

klungen der Jubel; einsam klagt er um den
verlorenen Sohn, die Bluttat konte er nicht
rächen an dem Täter, er konte den eigenen
Sohn nicht strafen, wenn er ihn auch nicht
mehr liebte. Mit Recht nent Leo[1] diese
Situation wahrhaft tragisch: „der Zufall hat
hier den alten Mann in eine Lage gebracht, wo
zwei heilige, zwei gleich heilige Gebote einander
die Wage halten: rächt er den Sohn nicht, so
verletzt er die Pflicht der Sippe, des heiligen
Friedens der Familie; und rächt er ihn, so verletzt er dieselbe Pflicht — da erlöst ihn der
Tod, das Herz bricht ihm vor Kummer und er
geht ein zu dem Lichtglanze der Seligen." Des
Vaters Herschaft erhält nunmehr Haeðcyn
(2474); aber er regiert nicht lange, sondern
fällt in der Schlacht am Rabenholze durch den
Schwedenfürsten, den Scylfing Ongenþeóv
(2924).[2] Aber sein Bruder Hygelâc ahndet
den Tod seines Bruders durch blutige Rache
und übernimt nunmehr die Regierung (2991).
Seine Gemahlin ist Hygd, die Tochter Haereðes
(1929. 1981), und aus dieser Ehe geht hervor
Heardrêd. Hygelâc nun ist der Held des
bedeutendsten in unserem Lied angedeuteten
historischen Ereignisses, des Zuges der Nord-
mannen gegen Franken und Friesen, Hugen und

---

[1] Lehrb. d. Universalgesch. Bd. II p. 19.

[2] Diese Kämpfe der Geáten mit den Schweden genauer im
folgenden Capitel.

Hetvare, welchen wir uns für ein besonderes
Capitel zur Behandlung aufsparen. Hier nur
wenig über seinen Namen. Die fränkische
Namensform lautet Chochilaic, die spätere
Sage des 10. Jahrhunderts [1] nent ihn Hügg-
glaucus oder Huigglaucus, in der ersten
Aufzeichnung mag er wol Hug- oder Huc-
glaicus gelautet haben, woraus sich gleich die
anderen Namensformen ergaben. Bei Saxo begegnet ein Hugletus, rex Hiberniae, „der,
gegen Würdige karg, seine Milde an einen
Schwarm mimi und ioculatores verschwendet“;
und dieser selbe Hugletus erscheint in der
Ynglingasaga als weibischer Upsalakönig
unter dem altnordischen Namen Hugleikr. [2]
Das ist schwerlich unser Hygelâc, der König
der Geáten, der tapfere Seeheld. Müllenhoff
glaubt, eine Spur von ihm sei noch übrig in
Hugebolt, den Herbort erschlug nach
Eckenl. 83. „Wenigstens ist diesz der einzige
mit Hug- componierte Name der im mhd. Epos
auszer Hugdietrich vorkomt, und Hugebolt
kann für Hugeleich eingetreten sein, da die
Composita auf -leich veralteten und -bolt nur
eine Begriffsteigerung ausdrückte. Herbort
aber ist ein Held, der dem Kreis der nordwestlichen Sagen angehörte“. Uebrigens komt

---

[1] M. Haupt in srt. Zeitschr. V, 10. Müllenhoff, Ebendas.
XII, 287. Grimm, Gesch. d. d. Spr. 411. Vgl. unten. —
[2] Rieger, H. Z. XI, 199.

im Mittelalter der Personenname Hugilaih
(oder Hugileih) vor. [1])

Nach dem Falle des Hygelâc bietet die
königliche Witwe desselben Hygd dem Beóvulf
den Thron und ihre Hand an, aber er schlägt
beides aus (2369 ff.) und führt als Vormund
des Sohnes des Hygelâc Heardrêd die Regierung (2377 ff.). Nach dessen Falle durch die
Söhne des Scylfings Ohtere, Sohnes des Ongenþeóv (2385), erhält Beóvulf die Zügel der
Regierung und rächt den Tod Heardrêds blutig
an Eádgils (2395 ff.).

Dieser Beóvulf also, der Held des Gedichts
ist der Sohn des Vaegmunding Ecgþeóv (263
u. s. w.) und einer Tochter des Geátenkönigs
Hrêðel. So war er von väterlicher Seite dem
Hause der Scylfinge verwant, denn Vaegmund
ist ein Scylfing, und es stammen von ihm auszer
Ecgþeóv und dessen Sohn Beóvulf auch Vihstân
oder Veohstân und sein Sohn Vîglâf von
ihm ab, die ebenfalls Vaegmundinge genant
werden (2607. 2814), der letztere, Vîglâf, heiszt
sogar an einer Stelle leód Scylfinga (2603). [2])
Den Beóvulf hat Hrêðel der Geátenkönig als
siebenjährigen Knaben an seinen Hof genommen
und ihn mit seinen Söhnen Herebeald, Haeðcyn

____

[1]) Förstemann, Altd. Namenb. I, 754.

[2]) Vgl. Grein, Jahrb. f. rom. u. engl. Lit. IV, 276. Heyne,
Beóv. (Index) p. 113. Ueber Ecgþeóvs Verhältnis zu den Vylfingen vgl. unten.

und Hygelâc erzogen (2428 ff.): daher in unserem
Gedicht die ständige Bezeichnung als Geáte.
In seiner Jugend ist er träge und untüchtig
und wird in Folge dessen verkant und verachtet
(2184. 2188 f.) ähnlich wie Siegfried, „was
immer ein Merkmal göttlichen Heldentums ist“
(Ettmüller). Als Mann hat er in seinen Armen
die Kraft von 30 Männern (379), im Faust-
kampfe beruht daher auch seine Hauptstärke,
seine Hand war allzu stark, die jede Klinge
unnütz machte (2684 f.). Als kaum heran-
gewachsener Jüngling unternimt er ein Wettschwimmen mit Brecca, dem Fürsten der
Brondinge (506 ff. 586 ff.), welches 7 Tage
dauerte, und tötete Nixen und Meerungeheuer
in der Tiefe. Mit 14 Geáten zieht er als selb-
fünfzehnter dem Dänenkönige Hróðgâr zu Hülfe
gegen den bösen Waszergeist Grendel (198),
kämpft mit ihm in der Halle Heorot siegreich
(711 ff. 819 ff.) ohne Waffen mit der bloszen
Faust; und wie des Totwunden Mutter neues
Unheil anrichtet, kämpft er mit dem Riesenweibe
in der Meerestiefe, erschlägt sie und tritt mit
dem Haupte Grendels wider vor Hróðgâr (1441 ff.).
Reich beschenkt und ruhmgekrönt entlaszen vom
Dänenhofe, kehrt er zu Hygelâc zurück (1963 ff.).
An des letzteren Zuge gegen die Franken und
Friesen nimt er Teil und entrint (2359 f. vgl.
unten). König geworden tritt er auf als Rächer
Heardrêds an den Scylfingen, wie wir oben

gesehen. Am Ende seiner 50jährigen ruhmreichen Regierung erschlägt er den grimmen Feuerdrachen, der sein Land verwüstet (2538 ff.), aber er selbst stirbt in Folge einer giftigen Wunde, die er vom Drachen empfangen (2817). Dem Vîglaf, der ihm im Drachenkampfe beigestanden (2604 ff. 2662 ff.), übergibt er vor seinem Tode Ring, Helm und Brünne (2809 ff.) und erklärt ihn so zu seinem Nachfolger. Bestattet wird der herliche Held unter den herzbrechenden Klagen seiner Mannen auf Hrones näs (3137 ff.), und ihm dort am Abhang des Vorgebirges ein Leichenhügel errichtet (3157 ff.), weit sichtbar den Seefahrern.

Historischer Züge in diesem kurz entworfenen Bilde sind eigentlich nur zweie erkenbar: die Kämpfe gegen Friesen und Franken, die er als Dienstmann Hygelâcs mitmacht, und die Kämpfe gegen die Scylfinge, die er als König unternimt. Beide Ereignisse (deren Erzählung ein Werk des sagenkundigen Ueberarbeiters und Interpolators B ist) werden von uns mit ihren weiteren Beziehungen besonders behandelt werden. Das Uebrige, die drei am meisten im Liede gefeierten Taten: die Wettschwimfahrt mit Brecca, sein Kampf gegen Grendel und seine Mutter, endlich sein Kampf mit dem Feuerdrachen und sein Ende sind durchweg mythischer Natur, so wie auch die ihm beigelegte Stärke von 30 Männern als mythischer

Auswuchs zu bezeichnen ist. Hier ist der historische Beóvulf, Ecgþeóvs Sohn, völlig an die Stelle des göttlichen Heros Beáva [1]) getreten. Sein Wettkampf mit Brecca ist ein Jugendabenteuer des Gottes, und auch dieser ist mythischer Natur. Der Name des letzteren bedeutet „den kräftigen Schwimmer durch die wildbewegten Fluten", von brecan, passivisch: frangi, rumpi, cum impetu ferri sc. per undas, und altnordisch heiszt breki direct Meer. Er ist Fürst der Brondinge nach unserem Liede 521 und dem Wanderersliede 25: Breoca [veóld] Brondingum, und der Name der letzteren hängt unläugbar zusammen mit nord. brandr. prora, ebenfalls auf die See hinweisend. Auch Beáva-Freyr ist, wenn auch ursprünglich agrarischer Gott und als solcher Gott des Meths und der Bienenzucht, doch auch ein Gott des Meeres [2]); und wenn in dem eben erwähnten Abenteuer mit Brecca vorzüglich seine Eigenschaft als Meeresgott hervorbricht, so vereinigt er beide

---

[1]) Vgl. oben p. 70, wo auch die Deutung des Namens. Früher ging Müllenhoff (H. Z. VII, 411 ff.) mit Kemble auf ahd. bouwan, ags. búan zurück und billigte die Aufstellung Beáv = Bous (bei Saxo), Sohn des Odhin und der Rind. Für die letztere Erklärung sind noch immer Grein, in der oft angef. Abhandlung p. 277 und Simrock, Handb. d. d. M. p. 287 f.

[2]) Vgl. Müllenhoff, H. Z. VII, 418. Für das Folgende berufe ich mich zum teil auf die treffliche Abhandlung desselben Gelehrten in demselben Bande der Zeitschr. p. 419—441: Der Mythus von Beóvulf.

Eigenschaften, als Meergott und fruchtbringender sonniger agrarischer Gott, in den beiden am Eingange und am Schlusze unseres Gedichtes gefeierten Heldentaten. Grendel nämlich ist der riesische Gott oder Dämon des wilden, düsteren Meeres um die Zeit des Frühlings-aequinoctiums, er ist der Sohn der Meerestiefe, die das Gedicht durch seine Mutter personificiert. „Es wüten die Stürme und das Meer konte sich einst ungehemt über die flachen Küstenländer an der Ostsee ergieszen, wo die Bewohner, friesische und sächsische Völkerschaften, auf einsamen Warten hausten (Plin. N. H. 16, 1), und wo sie rettungslos dem wilden Elemente preisgegeben waren, wenn nicht ein Gott half; von unglaublichen Verwüstungen, von dem Untergang vieler tausende von Menschen berichtet noch die leider allzu glaubhafte Geschichte dieser Gegenden.“ Das ist der locale Grund des Mythus, und localisiert ist derselbe in der alten Heimat der Angelsachsen; wenn die Sage denselben auch nach Heorot verlegt, so ist zu bemerken, dasz besagte Halle, um 500 von Hrôðgâr erbaut, und überhaupt Dänemark nicht der Schauplatz des Mythus gewesen sein kann, der in die graueste Vorzeit hineinragt. Verpflanzt und widerum in der neuen Heimat der Angelsachsen localisiert ist der Mythus im südlichen England, in Wessex in Wiltshire nach einer von Kemble (cod. diplom. aev. saxon. nr. 353)

veröffentlichten und von **Müllenhoff**[1]) ver-
werteten Urkunde aus dem J. 931. Es werden
dort die Lokalitäten angeführt: **Beóvan hamm**
und **Grendles mere**, die Beóves Höhe in der
Nähe von dem Grendels Teich oder Sumpf;
etwas nördlicher an der Severn in Worcestershire
kommen auch noch ein **Grindles pytt** und ein
Grindles bec vor (vgl. die Einl.). Hier haben
wir auszerdem den völligsten Beweis für die
bereits oben ausgeführte Behauptung, dasz der
historische Beóvulf, Ecgþeóvs Sohn, nur
an die Stelle des göttlichen **Heros Beáva**
getreten sei, und dasz von diesem einmal der
Kampf mit Grendel erzählt wurde. —

Diesem Treiben **Grendels** nun macht ein
Ende der sonnige Gott des erwachenden Früh-
lings **Beáva-Freyr**: das Meer weicht zurück
in sein Bette und der Gott entreiszt ihm die
Achsel nebst dem unheilvollen Arme, der das
Verderben brachte über die Wohnungen der
Menschen. Und wie es aus der Tiefe noch
einmal aufwallt, und das Meer seine letzten An-
strengungen macht, da steigt er hinab auf den
Grund des Meeres, vernichtet auch dessen ver-
derblich aufbrausende Gewalt und steigt als
Sieger aus der nunmehr klaren Flut empor.
Den Frühling und Sommer hindurch waltet alsdann der fruchtbringende, segenspendende Gott,

---

[1]) Haupt's Zeitschr. XII p. 282 f.

aber im Spätherbst toben abermals die Stürme und die Fluten bedecken weithin die Küsten. Aus dem Meere erhebt sich der Dämon, der Drache, lagert an der Küste und nimt den Hort in Besitz, d. h. den Inbegriff des Reichtums der im Sommer hervorgesproszten Pflanzenwelt. Obwol ein Greis und im Vorgefühle, dasz seine Zeit um ist, streitet der Heros doch gegen ihn, erschlägt ihn und gewint und rettet den Hort, aber er selbst wird von der giftigen Flut des Drachen überströmt und verendet: der Winter ist da, der Frost tritt ein, und das Land wird zu jeglicher Nutzung untauglich. — So scheinen jene Vorgänge aufgefaszt werden zu müszen, und nicht glücklich scheint uns G r e i n s [1]) Erklärung, dasz nämlich sowol bei der Grendelplage als auch der Verwüstung des Landes durch den Feuerdrachen als g e s c h i c h t l i c h e r Hintergrund Ueberfälle von Seeräubern zu betrachten seien, denen durch Beóvulf gesteuert worden sei.

Der Name B e ó v u l f ist ein Compositum und zeigt nur „einen Helden und Krieger im Geiste und Sinn oder von der Art des Beóva an" (Müllenh.); altn. entspricht diosem Biôlfr.[2]) Mit diesem Namen hängt auch ohne Zweifel zusammen das alth. Bîo, Pîgo, das alts. Femi-

---

[1]) Jahrb. f. rom. u. engl. Lit. p. 267. 277 f.

[2]) Islands Landnamabôk th. 4. c. 5. 6. Vgl. Jos. Bachlechner, Haupt's Z. VIII, 208.

ninum Bîa,[1]) und wol auch die altnieder-
deutschen Fem. Bieva[2]) und Biva.[3])

Die anderen Namen der in Verbindung mit
Hygelâc und Beóvulf auftretenden Geátenhelden
entziehen sich jeglicher historischer Deutung;
sie wurzeln in und mit der Sage.

[1]) Müllenhoff, Haupt's Z. XII, 284.
[2]) Werdener Heberegister bei Lacomblet, Arch. f. d. Gesch.
d. Niederrh. Bd. II. (Düsseld. 1857) p. 217—249 III. Vgl. Heyne,
Altniederd. Eigennamen aus dem IX.—XI. Jahrh. Halle 1867 p. 5.
[3]) Crecelius, Index bonorum et redituum monasteriorum
Werdensis et Helmostadensis saec. X vel XI conscriptus. Elberf.
1864. 16. Heyne, a. a. O.

Die Sveán (Schweden) und die Dynastie der Scylfinge.

Andere Volks- und Königsnamen.

Nachdem Tacitus Germ. 43 (am Schlusze) über die Lugii und Gotones und die protinus ab Oceano wohnenden Rugii und Lemovii geredet, fährt er c. 44 also fort: Suionum hinc civitates, ipso in Oceano, praeter viros armaque classibus valent. Es erhellt, dasz der Historiker uns hier eine Collectivbenennung der germanischen Scandinavier vorführt, die civitates derselben im Gegensatz zu den civitates der Sueben. Scandinavien, dessen Namen er noch nicht kent, hält er für eine meerumfloszene Insel, wie noch lange nach ihm viele Schriftsteller. Was sich Ptolemaeus unter den scandinavischen Norden vorstellte haben wir oben (p. 42 f.) gesehen; auf seiner gröszeren *Σκανδία* nent er als die civitates der Suiones (deren Namen er nicht kent) II, 11 a. Schl. folgende: *κατέχουσιν αὐτῆς τὰ μὲν ἀρκτικὰ Κυένωνες, τὰ δὲ δυτικὰ Χαιδεινοί, τὰ δ'ἀνατολικὰ Φανόναι καὶ Φιραῖσοι, τὰ δὲ μεσημβρινὰ Γοῦται καὶ Δαυκίωνις, τὰ δὲ μέσα Λευῶνοι.* Manche dieser Namen sind schwer zu deuten; so ganz in der Luft schweben werden sie wol nicht: die *Γυῦται*, bei Procop *Γαυταί*, kennen wir bereits als Bewohner des südlichen Teiles von

Scandinavien, die *Δαυκίωνες* [oder *Δαυνίωνες* Dani?) blieben zweifelhaft (oben p. 91); unklar bleiben auch die östlichen Stämme (*Φανόναι καὶ Φιραῖσοι*). Was aber die in der Mitte wohnenden *Λευῶνοι* und westlich wohnenden *Χαιδεινοί* betrifft, so finden wir dieselben unzweifelhaft auch in dem des öfteren citierten Wandererslied v. 80, an einer interpolierten Stelle, deren Urheber jedoch sich auf alte volksmäszige Tradition zu stützen scheint. Es werden dort genant nach Scride-finnen (Finnen) und Lidvîcingen (?) die Leónas und im folgenden Verse die Haeðnas und Haerepas. Die Leónen sind sicherlich die *Λευῶνοι* des Ptolemaeus, auch bei Jornandes (c. 3.) noch zu erkennen in dem dort unter der Scandinavien bewohnenden turba nationum angeführten Liothida. [1]) Erhalten scheint der Name wol in dem der jetzigen Stadt Linköping in Südschweden, östlich vom Wettersee: das vermutlich bei diesem Ort gehaltene „allmänna ting" Oestergötlands hiesz altschwed. Lionga þing, und dieses Lionga ergibt den altnord. nom. pl. Lióngar, was nur eine patronymische Form von jenem Stamme ist, der in *Λευῶνοι,* Liothida erscheint. [2]) Die Haeðnas sind die *Χαιδεινοί* des Ptolemaeus, die Bewohner der Heidmörk im südlichen Norwegen. [3]) Die

---

[1]) Zeusz, Die Deutschen u. s. w. p. 506.
[2]) Müllenhoff, Haupt's Z. XI, 290.
[3]) Zeusz, a. a. O. p. 159. 506. Müllenhoff, a. a. O.

Haerepas sind die nordischen Charudes, von
Plinius (IV, 14) und Ptolemaeus als Bewohner
der kimbrischen Halbinsel neben den Cimbri
genant (bei Caesar B. G. 1, 31. 37. 51.
unter Ariovist's germanischen Hülfsvölkern aufgeführt, wahrscheinlich ein Ueberbleibsel des
kimbrischen Zuges), die altn. Hördar, die
Bewohner von Hördaland auf der norwegischen
Küste.[1] Die nördlichsten Bewohner der Σκανδία
sind die Κυένωνες, deren Spur wir noch weiter
verfolgen können. Es sind diesz nach Zeusz'[2]
begründeter Vermutung die Vinoviloth, got.
Vinovilos = Quinovilos des Jornandes (c. 3),
von ihm mit Schweden und Dänen zusammen
genant. Diese Cvenas und Cvenland setzt
auch Ælfred in seinem Orosius[3] nördlich von
den Schweden, und der Cvensae ist bei ihm
der bottnische Meerbusen. In der altnordischen
Egilsaga c. 14 geschieht eines Kvenland Erwähnung, das zwischen Schweden und Finnland
gelegen war, und diese Kvenir scheiden sich
genau genommen in der altn. Sage von Schweden
und Finnen, gelten aber auch oft für Finnen;
fornald., sög. 2, 3 stehen Gottland, Könland,
Finnland unter einem Herscher.[4] Man hat
nun Cvenas mit Grund abgeleitet aus dem

[1] Zeusz, a. a. O. p. 152.
[2] a. a. O. p. 686 f.
[3] bei Rieger, Ags. Leseb. p. 148, 5. 150, 10 f.
[4] Grimm, G. d. d. Spr. p. 517.

Finnischen Namen Kainulaiset (Plur. von
Kainulaine, der Niederländer, aus kainu, Nide-
rung), wie sich die Finnen in Cajania auf der
Ostseite des bottnischen Meerbusens benennen."
(Zeusz a. a. O.). Diesen fremden Namen hat
man nun zu deutscher Etymologie umgestaltet
in Vinoviloth = Quinovilos, indem man got.
quino, ahd. quena, altn. kona, alts. ags. quene,
cvene, mulier zu Grunde legte und weiterhin
die Amazonensage auch im Norden ein-
bürgerte. So fabelt Adam von Bremen von einem
Weiberlande im hohen Norden (de situ Daniae
c. 222): Gothi habitant usque ad Bircam, postea
longis terrarum spatiis regnant Sveones usque ad
terram feminarum; ferner erzählt er ebendas.
c. 228: item circa haec litora Baltici maris ferunt
esse Amazonas, quod nunc terra femi-
narum dicitur, quas aquae gustu aliqui dicunt
concipere . . . . . hae simul viventes spernunt
consortia virorum, quos etiam, si advenerint,
a se viriliter repellunt. Ja, bei Tacitus finden
sich schon Spuren dieser Sage, indem er Germ.
45 extr. meldet: Suionibus Sitonum gentes
continuantur. cetera similes uno differunt, quod
femina dominatur: in tantum non modo
a libertate sed etiam a servitute degenerant.
Unter diesen Sitonen, die Zeusz mit Recht
für nichtgermanisch (finnisch) hält, versteht
Tacitus die äuszersten Bewohner Suebiens und
somit Scandinaviens, wie Ptolemaeus die *Κυένωνες*

im äuszersten Norden seiner Σκανδία wohnen
läszt.

Es ist immerhin auffallend, das Ptolemaeus
den Namen der Suiones nicht kent, während
doch Tacitus damit eine Gesamtbenennung nord-
germanischer Stämme zu geben scheint. Ihre
Macht scheint sich in ältester Zeit über den
grösten Teil der scandinavischen Halbinsel ausgedehnt zu haben; später jedoch erscheinen sie
minder bedeutend und verschwinden sogar fast
unter der Fülle von Volksnamen, die uns besonders Jornandes auf seiner Scandza überliefert. Bei ihm erscheint der Name der
Schweden in doppelter Schreibung (c. 3): alia
vero gens ibi moratur Suehans;[1]) dazu bieten
die Codd. und Edd. die Varianten: Subveans
(= Sveans), Suuehans, Suethans. Weiterhin
in demselben Capitel nent er sie Suetidi oder
Suethidi. Das letztere scheint eine gotische
Form zu sein Svêþiuda (gebildet wie Gut-
þiuda), entstanden wol aus der einheimischen
Benennung Svîþiod; so gebraucht auch Adam
von Bremen neben Sueones auch häufig
Suedi und Suedia. Dem heutigen Namen
der Schweden liegt also die altgotische Form
desselben zu Grunde.[2]) Die anderen Dialecte

---

[1]) So schreibt Clozs in seiner Ausg. d. Jorn. 2. Aufl.
Stuttgart 1866.

[2]) So schon Geijer, Geschichte Schwedens Bd. I, p. 38.
Grimm, der in der eben angezogenen Stelle des Jornandes der
Variante Suethans einen höheren Wert beilegen will, bringt

kennen also den T Laut in dem ursprünglichen Namen des Volkes nicht, er erscheint nur in der Zusammensetzung mit þiod, þiuda. Noch im Mittelalter schrieb man Sueones (Eginhart's Annal. Pertz I, 200 und Adam von Bremen neben Suedi), auch Saxo schreibt nicht anders. Endlich finden wir im Beóvulf nur die Form Sveón (gen. pl. Sveóna 2472. 2947. 3001), auch Sveó-þeód 2922, und ihr Reich heiszt Sveó-ríce, Svió-ríce 2383. 2495. Dieselbe Form begegnet uns im Wanderersliede 31. 58 (dat. pl. Sveóm), in Ælfred's Orosius: Sveón, Sveóland, Sveóríce (bei Rieger a. a. O. 148, 2. 3. 151, 17. 150, 10); endlich in der altnordischen Sage erscheint, neben Svîþiod, Svîar (gen. Svîa, dat. Svîum). Auf eine Deutung des schwierigen Namens verzichten wir selbstverständlich.

Diese Sveón sind uns nun besonders wichtig wegen ihres Verhältnisses zu den Geáten im Beóvulfliede. Der Interpolator B, der des Sagenstoffes in seinem ganzen Umfange mächtig war, schildert in seinen oft ungeschickt in das Lied verflochtenen Interpolationen nach seiner Weise bruchstückartig und allem Anscheine nach

diese Namen, Suethans und Suethidi, zusammen mit den oben aufgeführten Sitones des Tacitus und führt beide zurück auf eine Wurzel svîþ, urere (noch erhalten in altn. svið, sveið, sviðum, aduro). Den Sitonen haben wir bereits eine ganz andere Stelle zugewiesen; zudem leitet sich der Name beszer her von der got. Wurzel sitan, sedere, also „die Angeseszenen."

aus verschiedenen Quellen schöpfend, einen gewissen Raçenkampf zwischen beiden Völkern,
eine von den Vätern auf die Söhne vererbte
Kette von Feindseligkeiten, die mit der gänz-
lichen Niderlage und wahrscheinlich der Unter-
werfung der Sveón durch Beóvulf endigen. Wir
versuchen im folgenden besonders an der Hand
der Auseinandersetzungen von Grein und
Heyne [1]) aus den oft dunkeln und unklaren
Reminiscenzen des Interpolators ein wenn auch
nur annähernd klares Bild herzustellen.

Ueber die Schweden herscht die Dynastie
der Scylfinge, die noch verwant erscheint
mit der Königsfamilie der Geáten, indem
nämlich Veohstân und sein Sohn Vîglâf,
grade wie auch Ecgþeóv und sein mit einer
Tochter Hrêðels, des Vaters des Hygelâc,
erzeugter Sohn Beóvulf, Vägmundinge
genant werden (2607. 2814 f.), [2]) und auch der
eine (Vîglâf) leód Scylfinga heiszt (2603).
Diesem Geschlechte entstamte (als Abkömling
des Scylf) Ongenþeóv, König der Sveón
(1968. 2387. 2475 u. ö.), nach Ettmüller's Ergänzung v. 62. auch mit der Dynastie der
dänischen Scyldinge in sofern verwant, als

---

[1]) Vgl. der ersteren oft angeführten Aufsatz: die historischen
Verh. i. B. Ebert's Jahrb. f. rom. u. engl. Lit. IV, 271 ff. 275 ff.,
des letzteren Ausg. d. B. p. 100. 108.

[2]) Vgl. auch die Stamtafeln bei H. Leo, Ueber B. p. 62. —
Ueber Veohstâns Verhältnis zu Ecgþeóv und Beóvulf s. Heyne,
Beóv. p. 100 f.

er die Tochter Healfdene's, die Elan zur
Gemahlin hat. Seine beiden Söhne sind Onela
und Ohtere (2612. 2614. 2932 u. ö.), welche
häufig das Gebiet des Geátenkönigs Haeðcyn,
(des zweiten Sohnes des Geátenherschers Hrêðel),
der nach dessen Tode zur Herschaft gelangt
(2434. 2474. 2482. 2925.), durch ihre Einfälle
beunruhigen (2478). Daher unternimt der
Geátenfürst einen Zug nach Schweden (2479 ff.),
auf welchem die Mutter der beiden Schwedenfürsten, — Healfdene's Tochter Elan? — in
Gefangenschaft gerät. Aus dieser befreit sie
Ongenþeóv, erschlägt den Haeðcyn am Rabenholze (Hrefnavudu) mit eigener Hand (2930)
und schlieszt die in die Enge getriebenen Geáten
in dem Gehölz ein (2936 ff.), bis die letzteren
durch Hygelâc, den jüngeren Bruder und
Nachfolger Haeðcyns entsetzt werden (2943).
In einem nun folgenden Kampfe wird das Heer
Ongenþeóv's geschlagen, der König selbst von
den Brüdern Vulf und Eofor angegriffen und
von dem letzteren erschlagen (2486 ff. 2961 ff.).

Aber hiermit ruht der Kampf zwischen
beiden Völkern und Geschlechtern noch nicht,
er vererbt sich auf die Söhne der früher bei
dem Kampfe Beteiligten. Ohtere's Söhne, die
Enkel Ongenþeóv's, Eánmund und Eádgils
haben sich gegen ihren Vater empört (2381),
in Folge dessen sie aus dem Schwedenreiche mit
ihrem Anhange (2204 f.) weichen müszen (2379).

Sie kommen zu Heardrêd (2379 f.), der
unterdes seinem von den Hugen und Hetvaren
erschlagenen Vater Hygelâc (zuerst unter der
Vormundschaft Beóvulf's) auf dem Throne gefolgt
ist, wahrscheinlich mit kriegerischem Gefolge
und Heer (vgl. 2202 ff.), und der eine von
ihnen (vielleicht Eánmund) erschlägt den Heardrêd, on feorme, bei einem Gastmahle (2385, [1])
vgl. 2206). Der Mörder wird von Veohstân,
der die Blutrache für seinen erschlagenen
König zu üben scheint, auf der Stelle getötet
2612 ff.:

> þäm [Eánmunde] ät säcce veard
> vräccan vineleásum Veohstân bana
> mêces ecgum and his mâgum ätbär
> brûnfâgne helm, hringde byrnan,
> eald sveord etonisc, þät him Onela forgeaf,
> his gädelinges gûðgevaedu,
> fyrdsearo fûslîc.

Doch heiszt es weiter: aber Veohstân spricht
nicht von dem Kampfe, obgleich er jenes (Onela's)
Brudersohn getötet. Eádgils entweicht nach
seiner Heimat (2387),[2] wo unterdes sein Vater
Ohtere gestorben zu sein scheint, und er selbst
die Herschaft übernimt. Inzwischen ist nun
auch nach Heardrêd's Falle Beóvulf König
der Geáten geworden, und dieser sint auf Rache
an dem freudelosem Eádgils und wird sein

---

[1] so Grein und Heyne nach Conjectur; or feorme Ms.
[2] Wir folgen Heyne's Erklärung der Stelle; vgl. dens. p. 100.

Feind [1]) (2391 ff.). Mit groszem Kriegsheere
zieht Ohteres Sohn hinein in das Geátenland,
doch Beóvulf rückt ihm entgegen und erschlägt
ihn (2396). Und später klagt Vîglaf, Veohstâns Sohn bei der Leiche des Beóvulf 2999 ff.:
das ist der Kampf und die Feindschaft, der
tötliche Hasz der Männer, gemäsz welchem ich
erwarte, dasz uns die Schweden aufsuchen
werden, sobald sie erfahren, dasz unser Herr
tot ist,

> þone þe aer geheóld
> við hettendum hord and rîce
> äfter häleda hryre, hvate Scylfingas,
> folcrêd fremede oððe furður gên
> eorlscipe efnde.

Scylfingas hat hier Heyne corrigiert und
ihm folgt mit Recht Grein; [2]) die Handschr.
bietet Scyldingas, aus welcher Lesart Thorpe
folgern wollte, dasz Beóvulf nach dem Unter-
gange Hróðgârs, des letzten der Scyldinge,
auch die Herschaft über die Dänen erlangt habe.
Aber man begreift nicht, wie die Scyldinge,
von denen in der ganzen Erzählung von den
Schwedenkämpfen gar nicht die Rede war, die
in so gut als gar keinen Beziehungen zu diesen
Kämpfen stehen, hier plötzlich auftreten können.
Es ist die Rede von den Schweden, und da

---

[1]) feónd statt des handschr. freond Leo und Heyne.

[2]) Anders, aber mir nicht verständlich, Müllenhoff,
Haupt's Z. XIV, 239.

Beówulf nach 2396 den letzten Scylfing Eádgils
getötet, so liegt doch nahe zu vermuten, er habe
auch dessen Land erobert, so dasz hier der Sinn
unterzulegen wäre; die Schweden werden nach
dem Tode ihres Bezwingers das verhaszte Joch
der Knechtschaft abzuschütteln gewillt sein.
Aehnlich wird ja auch 2910 ff. die Befürchtung
ausgesprochen, es möchten die Franken und
Friesen, Hugen und Hetvare den Kampf nach
dem Tode des Königs erneuern, und daran
schlieszt sich nun naturgemäsz des weiteren die
Erinnerung an ältere und jüngere Kriege mit
den Sveón und der Ausdruck der Furcht, auch
diese möchten über das nunmehr verwaiste
Reich herfallen und die Geáten mit Krieg
bedrängen. —

Das sind in kurzen Umriszen die Kämpfe
der Geáten mit den Schweden, aus welchen den
historischen Kern herauszuschälen seine beson-
deren Schwierigkeiten haben dürfte. Was die
in der Sage erwähnten Volkskönige der Geáten
betrifft, so entziehen sich dieselben mit Ausnahme des Hygelác jeglicher historischer Kunde.
Dasz der letztere eine durchweg historische
Person ist, hatten wir bereits oben (p. 99 f.)
berührt, und wird noch unten des weiteren erörtert werden; von den in der Sage aufgeführten
schwedischen Fürsten stehen uns nur über
Ongenþeóv, Ohtere und Eádgils einige

spärliche Notizen zu Gebote. Der erstere begegnet noch im Wanderersliede 31:

    Sveóm [veóld] Ongenþeóv,

aber es findet sich in dem ganzen Liede auch keine Spur von den im Beóvulf berührten Kämpfen, wie wir denn auch die Namen der beteiligten Geátenfürsten (Hrêðel, Haeðcyn, Hygelâc, Beóvulf) in demselben vergeblich suchen. Ahd. würde der Name lauten Angandeo (mit dem dunkeln Compositionswort angan), altn. Angantyr (Hyndlulióð 9. 45, wo er zusammen mit Ottar erscheint); und in der Hervararsaga wird ein Kampf Hjalmars und Angantys auf Samsoe erwähnt, eine Sage, die auch Saxo kent.[1]) Weiter läszt sich in der altnordischen Sage und Geschichte der Name wol nicht verfolgen.

Was den Namen Ohtere betrifft, so begegnet uns die altnordische Form Ottar bereits in der ältesten Mythe: Ottar ist ja die Fischotter, die von Loki erschlagen wird, der Sohn Hreiðmars, für welchen Mord die beiden anderen Söhne des letzteren, Ottar's Brüder, Fafnir und Regin die 3 Götter Ôðin, Loki und Hvénir als Täter ergreifen und binden und ihnen als Lösegeld auferlegen soviel Geld als nötig sei,

---

[1]) Vgl. auch Jessen, Zeitschr. f. deutsche Phil. III, 5. Bei Saxo Grammaticus p. 250 (ed. Müll.) ist er ein Sohn des Schweden Arngrim (pugil Sveticus). Vgl. Hyndlulióð 23. Andere höchst verwirrte und dunkle Nachrichten (nach Kemble) bei Ettmüller, Beóv. p. 28 f.

den Balg Ottar's zu füllen und von auszen zu
bedecken. Bekantlich spielen die Ausläufer
dieser Mythe bis in unsere Nibelungensage
herüber. [1]) Auch in lateinischer Form ist
der Name erhalten bei Tacitus: der An. XI, 16
im Cod. Med. II überlieferte Actumerus,
princeps Chattorum, könte in ags. Form Ohtere
lauten. [2]) Mit unserem Ohtere hängt aber
sicherlich zusammen ein König der Schweden
aus dem Geschlechte der Ynglinger, das von
Yngvi Frey seinen Ursprung herleitete, nämlich
Ottar Wendilkraka, dem sein Sohn Adils
d. i. Eádgils folgt. [3]) Ein König des letzteren
Namens begegnet auch im Wanderersliede 93 ff.,
Fürst über die Mýrginge, Gemahl der Ealhhilde, der Gönnerin des Sängers, der Tochter des
Langobardenkönigs Eádvin, des historischen
Auduin. Vgl. oben p. 51 ff. In fränkischer
Form würde Eádgils, Adils lauten Audegîsil. —
Noch wäre eine Reihe von vorkommenden
Volks- und Königsnamen zu besprechen, ehe
wir an die Erklärung einzelner, historische An-

---

[1]) Vgl. u. a. K. Weinhold, die Sagen von Loki, Haupt's
Z. VII, bes. 36 f. 75.

[2]) Halm und Ritter lesen nach dem Gudianus Catumero;
aber die urkundliche Lesart wird mit Recht geschützt von Grimm,
G. d. d. Spr. 403 und Müllenhoff, H. Z. IX, 223 f. Bei Strabo
heiszt er entstellt Οὐκρομίρος, ἡγεμὼν Βαττῶν.

[3]) Vgl. auch Geijer, Gesch. Schwedens I, 301. 22 f. Dieser
Ottar ist wol eins mit dem Ottar in der älteren Edda (Hyndlulióð 12—13), dessen Verwantschaft mit dem Hause der Scildinge
oben (p. 72 Anm.) nachgewiesen wurde.

deutungen enthaltender Episoden gehen. Der
erste Held, der den ankommenden Geáten in
der Halle entgegentritt ist V u l f g â r , Hrôðgâr's
âr and ombiht, Fürst der V e n d l a s (348).
Wir sind bereits oben (p. 55) der herschenden
Ansicht entgegengetreten, dasz unter diesen
V e n d l a s (im Wanderersliede 59 V e n l a s) die
V a n d a l e n zu verstehen seien. Ihr Name hat
sich vielmehr erhalten in dem Namen der jütischen Landschaft V e n d i l l. So nehmen sie im
Wanderersliede ihre richtige Stelle ein 59 f.:

mit Venlum ic vaes and mid Vaernum and
mit Vîcingum
mit Gefðum ic vaes and mit Vinedum and
mit Gefflegum . . . .

Der Sänger begint nämlich oben im Norden
Jütlands mit den V e n l e n oder Vendlen und
läszt an sie sich anschlieszen im Süden die
V a e r n e n oder Varnen, deren Wohnsitze wir
nach unseren Bemerkungen oben p. 54 f. in
Nordschleswig und Südjütland zu suchen haben,
und ihnen schlieszen sich weiter an Vîcinger,
die, wie unten noch zu beweisen, identisch sind
mit den Heaðobarden oder Langobarden
in Nordalbingien. Alsdann springt er über zur
Südküste des baltischen Meeres und erwähnt
dort die Gefðen neben V i n e d e n d. h. Wenden
und Gefflegen. Die ersten werden auch im
Beóvulf an interpolierter Stelle 2494 aufgeführt
als G i f ð a s (ohne die Trübung des i zu e):

> Näs him aenig þearf
> þät he tô Gifðum oððe tô Gârdenum
> oððe in Sviórîce sêcean þurfe
> vyrsan vîgfrecan, veorðê gecŷpan.

Sie nehmen hier eine Hauptstellung ein neben Dänen und Schweden; Beóvulf erzählt von seinen Taten, wie er in den Kämpfen gegen die Schweden seinem Wohltäter Hrêðel das vergolten, was dieser an ihm getan: er (Hrêðel) brauchte unter den Gifðen, Dänen, oder im Schwedenreich nicht nach einem geringeren Krieger zu suchen, ihn mit Schätzen zu erkaufen. Er greift aus den 3 groszen umliegenden Ländern die 3 bedeutendsten Völker pars pro toto heraus: im Westen die Dänen, im Norden die Schweden, im Süden, an der nachbarlichen baltischen Küste die Gifðen. Und es unterliegt wol keinem Zweifel, dasz wir hier die historischen Gepiden vor uns haben, die nach Jornandes c. 17 mit den Goten verwant waren und einst im Norden an der Mündung der Weichsel ihre Sitze hatten.[1] Von diesen ihren alten Sitzen am baltischen Meere hatte also die von dem Interpolator aufgeführte Sage noch Kunde.

In einem alten und echten Teile des ersten Liedes werden 461 u. 471 die Vylfingas

---

[1] Die dort von Jorn. erzählte Sage von dem Auszuge der Gepiden wie Goten von Scandinavien, ferner die Ableitung ihres Namens aus „gapanta" zurückgewiesen von Zeusz, Die D. u. d. N. 437. Grimm, G. d. d. Spr. 524.

erwähnt. Diese hält L e o (Ueber Beóvulf 54 ff.) für identisch mit den S ü d d ä n e n des Ælfred, des Wanderersliedes und — unseres Beóvulfliedes: „das Beóvulflied kent ebenfalls den Unterschied der Nord- und Süddänen, und nur jene werden als Scyldingen bezeichnet; bei den Süddänen musz also ein anderer Königstamm gewesen sein, wie es scheint der der Wulfingen.“ Was es mit Ælfred's Nord- und Süddänen für eine Bewantnis hat, ist oben (p. 30. 58 f.) gesehen worden, alsdann ist nach dem dort gesagten auch über Nord- und Süddänen im Beóvulf nichts weiter mehr zur Widerlegung hinzuzufügen: die Süddänen des Wanderersliedes und des Ælfred sind ja die eigentlichen Dänen (Ostdänen), die Bewohner des älteren Ostreiches (Seeland u. s. w.), auf welche nur allein unser Lied Bezug nimt. Und wenn nun L e o aus den angeführten Stellen unseres Gedichtes selbst die Identität der Süddänen und Vylfingen beweisen will, so liegen hier von seiner Seite nur Misverständnisse und Irrungen vor. Wir setzen zu vorurteilsfreier Betrachtung die Stelle ganz hin (459—472). Hrôðgâr lobt Beóvulfs Vater Ecgþeóv:

Geslôh þîn fäder faehðe maeste:
vearð he Heaðolâfe tô handbonau
mid V y l f i n g u m; þâ hine Vedera [1] cyn

---

[1] So G r u n d t v i g und H e y n e, gara cyn MS. Vara c. Thorpe u. Grein. cf. Holtzmann in Pfeiffer's Germ. VIII,

for herebrôgan habban ne mihte,
þanon he gesôhte Sûðdena folc
ofer .ýða gevealc, Ârscyldingas,
þâ îc furðum veóld folce Deninga
and on geogode heóld gimmerîce
hordburh häleða; þâ väs Heregâr deád
mýn yldra maeg unlifigende,
bearn Healfdene's: se väs betera þonne ic!
Sißðan þâ faehðe feó þingode;
sende ic Vylfingum ofer väteres hrycg
ealde mâðmas: he me âðas svôr.

„Es siegte dein Vater in den meisten Kämpfen,
er erschlug den Heaðolâf unter den Vylfingen
im Handgemenge; da ihn das Geschlecht der
Vedergeáten wegen des [drohenden] Krieges-
schreckens [1]) nicht [mehr] halten konte, so
suchte er von dort aus das Volk der Süddänen
auf über der Gewäszer Wogen, der Ârscyldinge,[2])
während ich gerade über das Dänenvolk waltete
und als junger Mann inne hatte die schätze-
reiche Herscherburg der Helden; da war Heregâr
tot, mein älterer Bruder, ohne Leben, der Sprosz
Healfdene's: der war besser als ich! Darauf
legte ich die Fehde mit Gut bei, sante den

---

490. Das þâ in ders. Zeile ist Conjunction, deshalb habe ich
vorher ein Semicolon und nach mihte ein Komma gesetzt.

[1]) d. h. aus Furcht vor Krieg von Seiten der Vylfingen, da
ein Geáte einen der Ihrigen erschlagen. Leo gibt nach der
unverständlichen Lesart, gara cyn, einen ganz schiefen Sinn wider.

[2]) âr Scyldinga, als Gesanter der Scyldinge Leo ohne Grund,
da er nun einmal Süddänen und Vylfingen zusammenbringen will.

Vylfingen über den Rücken des Meeres kostbare Geschenke: er [1]) schwur mir Eide." Hier haben die Süddänen nichts mit Vylfingen zu schaffen, wol aber sind die Sûðdene (462), Ârscyldinge (463) und folc Deninga (464) ein und dasselbe Volk der Dänen. Ecgþeóv, Beóvulf's Vater hat einen Fürsten der Vylfinge, den Heaðolâf erschlagen; seine Landsleute konten ihn daher, weil die Tat sie in schwere Verwickelungen mit den Vylfingen bringen konte, nicht mehr in ihrer Mitte dulden, deshalb floh er zum Dänenkönig, und dieser sühnte den Mord bei den Vylfingen mit Gold und Gut, wofür ihm auch Ecgþeóv den Eid der Treue schwur.

Die Vylfinge begegnen uns ebenfalls im Wanderersliede 29 und zwar in folgender Gesellschaft:

> Osvine veóld Eóvum and Ytum Gefvulf,
> Fin Folcvalding Fresnâ cynne.
> Sigehere lengest Saedenum veóld
> Hnaef Hôcingum, Helm Vulfingum.

Die Eóven sind wol des Tacitus Aviones (Germ. 40), Inselbewohner, [2]) deren auch Plinius erwähnt (N. H. IV, 27); seszhaft sind sie wol gewesen auf den der Elbmündung nahe gelegenen Inseln im Westen von Schleswig und Holstein.

---

[1]) natürlich Ecgþeóv, Beóvulf's Vater, von dem Hróðgar spricht, und zwar wird er diesem den Lehnseid geschworen haben.

[2]) Müllenhoff, Haupt's Zeitschr. XI, 281.

Die Yten sind die Jüten (vgl. oben p. 95 ff.), und an sie schlieszt sich der sagenberühmte Friesenherscher Fin Folcvalding, der Held der Episode im Beóvulf (1068—1159), über welche wir uns unten noch näher verbreiten werden; Fresna cyn, seine Friesen sind die sogenanten Nord- oder Strandfriesen an der Westküste Schleswigs und auf den Strandinseln, nicht die Westfriesen, die nördlichen Nachbarn der Bataver, gegen welche Hygelâc fällt. Der Sigehere, der am längsten über die Seedänen herscht, ist der sagenberühmte nordische Sigarr, der Vater der Signŷ.[1] Der Sänger fügt übrigens hier die Seedänen ein, weil sie in die Völkerreihe passen, er absolviert gleichsam in der Reihenfolge der Völker die kimbrische Halbinsel mit den Inseln, um alsdann in andere Gegenden überzuspringen. Noch zur Finnsage gehört übrigens Hnaef, der Herr der Hôcinge, der im Kampfe gegen Finn (Beóv. 1070) als Heerführer der Dänen fällt. Da nun der Vater der Hildeburh, der Gemahlin des Finn, Hôc[2] heiszt (Beóv. 1076), so wären also Hnaef und Hildeburh Geschwister,[3]

---

[1] Ders. ebendas. 282.

[2] So lautet der Name, nicht Hôce, die Endung e würde die umgelautete Form Hêce verlangen. Bugge, Zeitschr. f. d. Phil. IV, 204.

[3] Vgl. auch Grein, Ebert's Jahrb. f. rom. u. engl. Lit. IV, 270. Heyne, 109. 111.

und die Hôcinge [1]) sind demnach ein Heldengeschlecht, welches zu dem Dänenkönig Healfdene im Vasallenverhältnis stand, da ja ein Hôcing, Hnaef, dessen Heerführer genant wird.

Von der kimbrischen Halbinsel also und den Inseln der Seedänen springt er über zur Ostseeküste, zu den Vylfingen und ihrem Volkskönig Helm; über des Meeres Rücken schickt ja auch Hrôðgâr ihnen das Sühngold für Ecgþeóv. Sogar in engerem Verhältnis zu den Dänen müszen diese Vylfingen, deren König Helm ist, gestanden haben, denn Vealhþeóv, Hrôðgârs Gattin, ist eine ides Helminga (620), also wol eine Tochter oder doch eine nahe Verwante des Volkskönigs der Vylfinge. Vielleicht haben wir es auch hier wider mit einem Heldengeschlecht zu tuen, welches über ein Seevolk an der Ostsee die Herschaft führte, und die Sage nimt von diesen Königen den Namen her für das ganze Volk, so wie die Dänen von dem Herscherstamm der

---

[1]) Als Eigenname komt ahd. Huoching vor Thegan. vit. Hlud. c. 2: Godefridus dux genuit Huochingum. Huochingus genuit Nebi. Als ältere Form für Nebi ergibt sich aus einer alamannischen Urkunde von 773 Hnabi, entsprechend dem ags. Hnaef, wie Huoching dem Hôcing. „Wenn ein Alamanne Huoching seinen Sohn Hnabi nante, so meine ich musz man annehmen, dasz er die Sage von Hnaef dem Hôcing kante.“ Müllenhoff, H. Z. XI, 282. Auch Kemble gab aus Genealogien Zeugnisse für die Verbreitung der Sage auch in Deutschland. Ueber den Namen s. auch Förstemann, Altd. N. I, 698 und Müllenhoff, H. Z. XII, 285 f.

Nachfolger des Scyld den Namen der Scyldinge erhalten. Bekant sind die Wölfinge, die Mannen Dietrichs von Bern, und ihr Stamvater Hildebrand mit drei Wölfen im Schild, und so mögen bei manchen Volkstämmen Wölfinge, d. h. Abkommen eines dämonischen mythischen Wolfes, des Urbildes der Kampflust, (— gleichsam als fingierter Geschlechtsname nach dem appellativen Sinne von vulf; —) sich zu Herzögen und Königen ihres Volkes erhoben haben.[1] Und wie unter den Helden des Dietrich von Bern, so haben wir uns wol auch an den Gestaden der Ostsee unter einem seekundigen Volke ein solches Heldengeschlecht zu denken, wie denn in der nordischen Sage[2] die Nachkommen des Königs Sigmund, die an Stärke, Wuchs, Klugheit und Tatkraft alle Männer übertreffen, Ylfingar genant werden.

In der von A angefügten 2. Fortsetzung befindet sich in einer von dem Interpolator B eingeflochtenen Episode die Erzählung von einem blutigen Kampfe der Dänen mit den Heaðobeardan,[3] in der natürlich wider manches

---

[1] Vgl. Wilh. Grimm, Die mythische Bedeutung des Wolfes, Haupt's Zeitschr. XII, 206.

[2] Vgl. die ältere Edda: Hyndluliód u. Helgakviða Hundingsbana I, 5. 35. 50. Helgakvida Hundingsb. II, 2. 3. 46. Vgl. auch Grimm a. O. Es komt der Name Wulfing in alter Zeit nicht selten vor. Vgl. Förstemann, Altd. Namenb. I, 1344.

[3] Nicht Heaðobeardnas, wie Heyne (im Namensverzeichnis) angibt. Vgl. Rieger, Zeitschr. f. d. Phil. II, 374.

unklar und verworren ist. [1]) A. läszt den Be ó -
vulf seinem Herrn Higelác erzählen von den
Abenteuern im Dänenlande, von dem Ausgange
des blutigen Kampfes in Hróðgârs Halle. Der
Held meldet den glänzenden Empfang von Seiten
des Dänenkönigs in der herlichen Halle, rühmt
die hehre Königin, die schätzespendend ünter
den Kriegern umhergegangen: oft auch habe
(2020 ff.) Hróðgârs Tochter Freávare den
Becher zu der Ritter Schaar getragen, die
Verlobte von Frôda's edlem Sohne; vermählt
hatte sie dem letzteren (dem Sohne Frôda's,
Ingeld, dem Herrn der Heaðobeardan)
der Dänenkönig zur Sühne eines mörderischen
Kampfes zwischen beiden Völkern, in welchem
Frôda gefallen ist (vgl. 2028 und den Interpol.
2050). Alsdann macht A die Bemerkung:

oft nô [2]) seldan hvär

äfter leódhryre lytle hvîle

bongâr bûgeð, þeáh seó brŷd duge.

„Oft und nicht selten ruht nach dem Falle des
Volkes nur eine kleine Weile der Mordspeer,
wenn auch die Braut vorzüglich sei." A läszt
es bei dieser Andeutung bewenden und zeigt
durch dieselbe, dasz er auch die von B eingeschobenen Begebenheiten, den Widerausbruch
der Feindseligkeiten zwischen beiden Völkern
nach der Vermählung, gekant hat. 2067 ff.

---

[1]) Vgl. Müllenhoff, Haupt's Zeitschr. XIV, 217.
[1]) So nach Heyne. Vgl. dessen Anmerk. z. d. Stelle.

fährt er nun (an 2031 angeschloszen) fort:
deswegen rechne ich nicht auf die Huld der
Heaðobarden [1]), auf tückelosen Frieden mit den
Dänen und ihre feste Freundschaft. Diesen
gesunden Gedankenzusammenhang unterbricht
nun B durch die 2032—2066 eingeschobene
Erzählung von den blutigen Begebenheiten nach
der Vermählung des Heaðobarden Ingeld mit
Hróðgârs Tochter Freávare. Wir versuchen
in Kürze den etwas dunkeln Inhalt der Episode
anzugeben: Aber es wird dem Herrn der Heaðo-
bearden (Ingeld) und seinen Rittern bald
misfallen, wenn ein edler Däne als Gefolgsmann
seiner Gemahlin [2]), den er ehren musz, die Halle
betritt, prangend in der erbeuteten Rüstung
und Wehr der Gefallenen (Heaðobarden): dann
reizt wol ein alter Krieger durch zornvolle
Worte den Herscher und regt seinen Unmut
auf, indem er seine Augen hinlenkt auf den
treuen Stahl seines erschlagenen Vaters, den
jetzt ein übermütiger Däne trägt:

> manað svâ and myngað maela gehvylce
> sârum vordum, ôð þät sael cymeð,
> þät se faemnan þegn fore fäder daedum
> äfter billes bite blôdfâg svefeð
> ealdres scyldig: him so ôðer þonan

---

[1]) Hier sowol (2067) wie 2037 bietet die Handschrift
Heaðobearna.

[2]) Ich folge im allgemeinen der Erklärung Riegers, Z. f.
d. Phil. III, 404 f.

losað vîgende, con him land geare.
þonne bióð brocene on bâ healfe
âðsveord eorla, syððan Ingelde
veallad vâlniðas and him vîflufau
äfter cearvälmum côlran veorðað.

„Also mahnt er und erinnert unabläszig mit bitteren Worten, bis dasz die Zeit komt, dasz der Gefolgsmann des Weibes (se faemnan þegn, dryhtbearn Dena 2035) für des Vaters Taten vom Bisze des Schwertes blutbefleckt dahinsinkt, dem Tode verfallen: der andere entweicht dann dem Kämpfer, er kent das Land wol. [1]) Dann ist gebrochen von beiden Seiten der Eidschwur, fürderhin bewegt den Ingeld tötlicher Hasz und es erkaltet vor Kummerwallung seine Liebe, zum Weibe.“

Durch die Ausführung der Blutrache also durch Ingeld an dem edlen Gefolgsmann seiner Frau, hat der Kampf zwischen beiden Völkern wider seinen Ausbruch gefunden. Der weitere Verfolg dieses Kampfes nun, der auch in der Interpolation des B immerhin noch als bevorstehend angedeutet wird, wird im Wandererslied kurz aufgeführt und erzählt 45 ff:

Hrôðvulf and Hrôðgâr heóldon lengest

---

[1]) Eine dunkle Stelle! fore fäder daedum (2059) beziehe ich zunächst auf das Weib, d. h. Freávare, für ihres Vaters Taten, der doch der mittelbare Urheber des Falles des Frôda war; se ôðer 2061 ist der alte Krieger, der den Ingeld zu der Tat aufgereizt hat. Viðergyld 2051 fasze ich nicht mit Grein u. a. als nom. propr., sondern mit Heyne als subst.: Vergeltung.

sibbe aet somne, suhtorfaedran
syþþan hŷ forvraecon Vîcingâ cyn
and Ingeldes ord forbîgdon
forheóvan aet Heorote Heaðobeardna þrym.

Ueber das Verhältnis des Hróðvulf zu Hróðgâr vgl. Beóv. 1062 ff. und oben p. 72. Beide also haben noch vor ihrem Zerwürfnis das Geschlecht der Vîcinge vertrieben, abgewant das Schwert Ingeld's und im Heorot der Heaðobarden Herlichkeit vernichtet. Die Vîcinge erscheinen hier mit den Heaðobarden identisch; der Name scheint dem angelsächsischen Dichter geläufig zu sein für das Strandvolk jenseits des Meeres, was mit den Dänen anband. Mit seinen Vîcingen oder Heaðobarden nun scheint nach dem Wanderersliede Ingeld, nachdem er sämtliche Dänen an seinem Hofe erschlagen (— das läszt sich nämlich aus Beóvulf schlieszen —) mit einem Heere vor Heorot gezogen zu sein, um den Fall seines Vaters zu rächen; aber Hróðgâr und Hróðvulf schlagen ihn vollständig und vernichten sein Heer. [1])

Eine ähnliche Sage, in ganz anderem Rahmen und unter wahrscheinlich falschen Beziehungen,

---

[1]) Vgl. auch Grein, Eberts Jahrb. f. rom. u. engl. Lit. IV, 268. Wir dürfen uns hier, bei unseren Folgerungen aus so dürftigen Andeutungen der Sage, vor allen Dingen nicht von der Vorstellung trennen, dasz in den Sagen des Beóvulf sowol als den kurzen Anführungen des Viðsîth vom Sänger Bekantes vorgetragen wird, wovon der Hörer vollkommen unterrichtet ist; die dunkelsten Andeutungen waren dem letzteren durchgängig verständlich.

meldet Saxo vom Ingellus, in welchem wir unschwer unseren Ingeld widererkennen, in seiner Hist. Dan. L. VI p. 302—318 ed. Müll. — Als Frotho IV (wol der Frôda des Beóvulfliedes) durch den Sachsenherzog Sverting umgekommen war, folgte ihm sein Sohn Ingellus. Diesem gaben die Söhne Svertings, um zu verhüten, dasz er sich wegen des an seinem Vater verübten Mordes an ihnen räche, ihre Schwester zur Gemahlin und kamen allmählich an seinem Hofe in so grosze Gunst, dasz sie sogar seine Tischgenoszen wurden. Der König selbst verweichlichte bald und ergab sich einem schwelgerischen Leben. Davon hörte sein in Schweden sich aufhaltender alter Erzieher Starcatherus (Starköddur) und er beschlosz nach Dänemark zu gehen, den Ingellus dem Lasterleben zu entreiszen und vor allem ihn zur Blutrache für seinen Vater aufzufordern. [1]) Angelangt in der Burg setzt er sich auf den Ehrensitz, wie er diesz stets gewohnt war. Die Königin, die ihn nicht kante und unter dem schlechten Kleide einen schlechten Mann vermutete, hiesz ihn aufstehen und den für Leute seiner Art bestimten Sitz einzunehmen. Der alte Kämpe gehorchte und begab sich in den äuszersten Teil des Hauses; aber um seinen Zorn über solche Behandlung an den Tag zu legen, stiesz er mit seinem Leibe

---

[1]) Das Folgende wörtlich nach Ettmüller's Auszug in seinem Beóv. p. 40.

so hart gegen die Eichenpfeiler an den Wänden, dasz die Balken erzitterten und das Dach fast herabgestürzt wäre. Als Ingellus von der Jagd heimkehrend den alsbald erkanten Gast mit den Augen musterte und warnahm, dasz er unfreundlicher Miene sei, auch nicht aufstund ihn zu begrüszen, merkte er, dasz er zornig sei und auch worüber. Er gebietet sogleich seiner Frau, den freundlich anzureden und ihm Speise und Trank zu reichen, den sie früher hinaus getrieben hatte; denn er sei ihm einst von seinem Vater zum Erzieher und Beschützer gegeben worden. Sie gehorcht; aber die zuvorkommende Behandlung vermag den rauhen Krieger nicht mehr zu besänftigen. Während des Mahles reizt er Ingellus so zum Grimme, dasz er aufspringt, die sieben Brüder seines Weibes mit eigner Hand erschlägt und seines Vaters Tod also rächt.

Es ist unmöglich, beide Erzählungen so zu vereinigen, dasz ein begründetes historisches Factum zum Vorschein käme, wahrscheinlich aber ist die Faszung derselben durch den Interpolator unseres Liedes die ursprüngliche, und Saxo hat das in seinen nordischen Liedern Vorgefundene durch Misverständnis in einen falschen Zusammenhang seiner Geschichte gebracht, indem er die Rolle des zorngemuten Heaðobardenkämpen dem Starcatherus überweist, und Ingeld und Frôda zu dänischen Fürsten macht, welche durch des Sachsen Sverting Verrat unter dessen Botmäszigkeit gekommen sind. —

Um nun an unsere Heaðobarden widerum anzuknüpfen, erinnern wir daran, dasz, nach unseren oben im 1. Cap. gelieferten Auseinandersetzungen, in den Gegenden an der unteren Elbe, in der sächsischen Scâdenauge und später auch weiterhin in der Maurungania des Geographus Ravennas die Langobarden sich vor ihrer Wanderung nach Pannonien nidergelaszen hatten. Dasz sie sich späterhin nämlich auch rechts von der Elbe, also in Nordalbingien, ausgebreitet haben, das erhellt aus den Angaben eines Langob. Anonym., Fredegar und besonders Paulus Diaconus (vgl. oben das erste Cap. p. 40 ff.). Schon bei Strabo, der sie neben den Hermunduren nent und sie mit diesen zum groszen suebischen Volkstamme rechnet, befinden sie sich in diesen Gegenden, rechts von der Elbe. [1]) Nach Tacitus freilich (Germ. 40; vgl. An. II, 45. XI, 17) solte man sie vorwiegend auf dem linken Elbufer suchen: er denkt sich, so finden wir, im

---

[1]) Anders sind die Worte des Schriftstellers nicht zu deuten; er sagt l. VII, p. 290 extr.: μέγιστον μὲν οὖν τὸ τῶν Σοήβων ἔθνος. διήκει γὰρ ἀπὸ τοῦ Ῥήνου μέχρι τοῦ Ἄλβιος. μέρος δέ τι αὐτῶν καὶ πέραν τοῦ Ἄλβιος νέμεται, καθάπερ Ἑρμόνδορροι καὶ Λαγκόβαρδοι. Und er fügt sogar hinzu: νυνὶ δὲ καὶ τελέως εἰς τὴν περαίαν οὗτοί γε ἐκπεπτώκασι φεύγοντες.

Osten von ihnen die Semnonen, zwischen der mittleren Elbe und Oder, gegen Westen die Chauken [1]) und nach Süden die Cherusker. Aber die Nordgrenze läszt er unbestimt, und es liegt die Vermutung nahe, dasz er ihre Wohnsitze sich auch über die untere Elbe hinaus ausgedehnt denkt. [2]) Dasz sie nun in späterer Zeit, und grade in der Zeit, von welcher wir handeln, sich in Nordalbingien befanden, glauben wir oben Cap. I, p. 44 ff. genugsam dargetan zu haben. Was endlich die Anführungen des Langobardennamens im Wanderersliede betrifft (v. 32. v. 80.), so ist die erstere (ihren Volkskönig Sceáf nennende) bereits oben p. 66 f. besprochen worden, die zweite befindet sich in einer Partie des Liedes, welche von Müllenhoff (Haupt's Z. XI, 289) mit Recht als späterer ungehöriger Zusatz bezeichnet worden

---

[1]) Auch Velleius, II, 106 läszt an diese sich die Langobarden anschlieszen.

[2]) Bei Ptolemaeus Geogr. II, 10 finden sich zunächst οἱ Σούηβοι οἱ Λαγγοβάρδοι südlich von den Sugambern, bis zu den Tencteren, alsdann, in dems. Cap. die Λακκοβάρδοι östlich von den Chauken und Angrivariern. Dasz auf die ersteren, westlichen Langobarden des Ptolem. kein Gewicht zu legen, sondern nur bei den letzteren, östlichen zu verharren sei, hat Grimm (Gesch. d. d. Spr. 475) gegen Zeusz (die Deutsch. u. s. w. 94. 95. 109 ff.) mit Recht hervorgehoben. Wirklich ist auch der Name der Barden (worüber sogleich) haften geblieben in dem im Mittelalter vorkommenden Bardengâ (Bardengauwi bei Pertz, Mon. Germ. I, 184), im Lüneburgischen, und zugleich begegnet dort der Name eines Fleckens Bardanwîc (vgl. Grimm, Gesch. d. d. Spr. 475.)

ist; für geographische Bestimmungen enthalten sie beide nichts nennenswertes.

Aus allen vorhergehenden Auseinandersetzungen geht also die Identität der Langobarden und Heaðobarden hervor. Auch die Barden, deren Name ja in Bardengâ (wie eben erwähnt) erhalten ist und auch schon bei Paulus Diaconus vorkomt, [1]) sind ein und derselbe Stamm der Langobarden. Mit ihnen haben in ferner Zeit die Dänen gestritten, von welchen sie nach der Volksüberlieferung im Beóvulfliede und dem wol noch älteren Wanderersliede, eine schwere Niderlage, die fast einer Vernichtung gleichkam, erlitten zu haben scheinen. [2])

Was nun noch die Deutung des Namens der Langobarden betrifft, so scheint mir besonders wegen der anderen Namensformen Barden, Heaðobarden, dasz die aus einer Stelle bei Paulus Diaconus gefolgerte Erklärung „Langbärte" entschieden aufzugeben ist. Es liesze sich bei dem allgemeineren und wol ur-

---

[1]) in einem lat. Gedicht (III, 19). Auch in einem Gedicht des Cod. Vatic. 5001 fol. 147 finden wir die Angabe: ortus fuit ex Bardorum stemmate clarissimo, und Helmold I, 26 redet von Bardi bellicosissimi. Grimm, G. d. d. Spr. 479.

[2]) In der älteren Edda (Guðrûnarqu. II, 20 Hildebr.) sind die dort angeführten Begleiter Langbarðs (L. liðar) nicht unsere Langobarden; es sind dort gemeint die Leute Gunnars; in der Volsunga saga dagegen (vgl. Hildebrands Anm.) werden die Langbarðar ausdrücklich den Franken und Sachsen gegenübergestellt.

sprünglichen Namen Barden zunächst eine solche Deutung aus bart, part, barba gar nicht rechtfertigen und erklären, und erst recht nicht bei der zusammengesetzten Form Heaðo- Hadubarden, da der erste Teil dieser Zusammensetzung ags. heaðo, ahd. hadu Kampf, Krieg bedeutet. Wie Sachsen, Franken, Cherusker ihren Namen von der Waffe entlehnten, so auch die Langobarden von der Barte, ahd. partâ, Streitaxt, ascia. Nicht übel stimt hierzu die eben erwähnte Bemerkung Helmolds: Bardi bellicosissimi. —

Die Zusammensetzung mit heaðo (ahd. hadu) finden wir auch in einem anderen Völkernamen, der uns Beóv. 519 begegnet: Heáðoreámas. So ist zu schreiben, nicht Heaðoraemas, wie bei Grein und Heyne zu lesen ist:[1] der Name hängt zusammen mit altnord. raumr (eig. hochgewachsen), Riese und bezeichnet die Bewohner von Raumarîki, die Anwohner des Raumelf im südlichen Norwegen. [2] Sie erreicht Breca in seinem Wettschwimmen mit Beóvulf, während dieser an Finnland landet. Berühren wir jene Episode in unserem Liede etwas näher (v. 500—581); Hûnferð, Ecgláfs Sohn, eifersüchtig auf den Ruhm, den Beóvulf durch die Uebernahme des Kampfes mit Grendel

---

[1] Vgl. Müllenhoff, Haupt's Z. XI, 287. Rieger, Zeitschr. f. d. Ph. II, 374.

[2] Müllenhoff a. a. O. Vgl. auch Zeuss, 503.

sich zu erwerben geht, begint streitsüchtige
Rede (gilpcviðe): im Wettschwimmen mit Breca
sei ja Beóvulf von demselben besiegt worden,
am 8. Tage sei jener bei den Haeðoreámas ans
Land gestiegen, getreu seiner Wette. Ihn
zurechtweisend erhebt sich Beóvulf und bemerkt,
er habe doch damals mehr Ausdauer und Kraft
gezeigt wie Breca. „Gelobt hatten wir uns
als Jünglinge, unser Leben auf der See zu
wagen; so schwammen wir in's Meer hinaus,
mit dem bloszen Schwerte in der Hand zum
Schutze gegen Meerungeheuer. Fünf Tage und
fünf Nächte schwammen wir zusammen, da
trente uns von einander ein Nordsturm, auf-
geregt erhob sich gegen mich das Meergetier
und faszte mich, und eines, welches mich mit
grimmer Kralle niderzog in die Meerestiefe,
traf ich mit dem Schwerte. Noch andere, die
auf mich eindrangen, mordete ich mit dem
Schwerte, — bis neun der Nichse (niceras nigene)
getötet dalagen.“ Ueber den mythischen
Gehalt der Episode haben wir oben im 2. Capitel
p. 104 f. gehandelt. Der Held landet also an
Finnaland; dieses glaubt man nun nicht im
jetzigen Finnland, im fernsten Winkel der Ostsee,
widerzufinden, sondern Thorpe (Ausg. d. Beóv.
p. 317) bringt zu dieser Stelle eine Notiz bei
aus Petersen, Dannemarks Historie i. Heldenold
I, 36, wonach die Lage dieses Landes zwischen
Gotland und Smaland, woselbst sich noch

ein Finnholz befinden soll, wahrscheinlich würde. [1]) Wir wollen über diese Frage nicht entscheiden; wegen des durchweg mythischen Characters der ganzen Episode ist jeder Versuch einer Combination der Verhältnisse entschieden abzuweisen.

Bemerkenswert ist für uns auch die Stelle Beóv. 1197 ff., in welcher von einem Halsbande der Brôsinge (Brôsinga mene) die Rede ist in folgender Verbindung:

Naenigne ic under svegle sêlran hŷrde
hordmaδδum häleδa, syδδan Hâma ätväg
tô þaere [2]) byrhtan byrig Brôsinga mene,
sigle and sincfät, searoniδas fleáh [3])
Eormenrîces, geceás êcne raed.

„Von Keinem hörte ich unter dem Aether, dasz er glücklicher gewesen mit Schatzkleinodien unter den Helden, seit Hâma zur stralenden Burg die Halskette der Brôsinge forttrug, den herlichen Schmuck; er floh die Nachstellungen Eormenrîchs, er wählte den ewigen Rat (d: i. er starb)." Es ist hier auf Verhältnisse der deutschen Sage Bezug genommen, die uns überhaupt die Gewisheit verschafft haben, dasz die deutsche Heldensage nicht allein in der nordischen, sondern auch in der angelsächsischen

---

[1]) Vgl. Heyne, Ausg. d. Beóv. Register v. Finnaland.
[2]) So Ettmüller, Grein, Heyne. MS. to here.
[3]) So Heyne nach Leo, Ueber Beóv. p. 44. MS. fealh. Vgl. Müllenhoff, H. Z. XII, 305.

Sage bekant gewesen sein musz, Eormenrîh ist der Ermanarich des Jornandes (got. Airmanareiks), der Jörmunrek der nordischen Sage,[1] Hâma ist der bekante mythische Heime, der, gewöhnlich in Verbindung mit Wittig, in den Sagen von Ermanrich und Dietrich von Bern eine Rolle spielt.[2] Von Ermanrichs (Jarmerichs) Schätzen und Reichtümern, die er in einer festen Burg, mit vier Toren nach allen Weltgegenden prächtig und wunderbar erbaut, in Sicherheit bringt,[3] berichtet uns Saxo (L. VIII, p. 154—157 ed. Müll.) Sonst unbekant ist die übrige Erzählung Saxo's von Jarmerichs früherem Leben, seiner Gefangenschaft und seiner Befreiung aus derselben.

Nun heiszt es in Dietrichs Flucht von Heinrich dem Vogler[4] v. 7832:

[1] Vgl. über ihn Wilh. Grimm, Heldensage p. 2 ff.

[2] Im Wanderersliede 124 werden sie genant: Vudga and Hâma. Vgl. J. Grimm, Mythol. (1. Aufl.) p. 222. W. Grimm, Heldensage p. 19.

[3] W. Grimm, Heldens. p. 17. 45. 116. Müllenhoff, Haupt's Zeitschr. XII, 303. Auch in der späteren Umarbeitung und Fortsetzung von Willem's Gedicht Van den Vos Reinaerde (Reinaert II nach Martin's Ausg. Paderborn 1874) ist von dem Schatz die Rede, den einst Ermeryk beseszen (v. 2589 Mart. vgl. 2627). Von hier ist die Sage auch übergangen in den niederdeutschen Reinke de Vos v. 2469 und 2934 der Ausg. von K. Schröder in Bartsch' Deutschen Dichtungen des Mittelalters Bd. 2. Leipz. 1872.

[4] demselben, der auch die Rabenschlacht gedichtet und (nach dem neuesten Herausgeber E. Martin, Heldenbuch Bd. 2) zwischen 1285—90 blühte. Vgl. auch Koberstein's Grundr. Gesch. d. d. N. L. 5. Aufl. v. Bartsch (Leipz. 1872) I p. 210.

> swaz horder heten zwên künige rîch
> von golde und gesteine
> daz hât er allez alleine.
> er hât das H a r l u n g e golt
> davon gît er noch lange solt. [1]

Und über diese Harlunge meldet E c k e h a r d
im Chronicon Urspergense Argentor. 1609 p. 159:
est autem in confinio Alsatiae castellum vocabulo
B r i s a c h , de quo omnis adiacens pagus appella-
tur B r i s a c h g o w e , quod fertur olim fuisse
illorum, qui Harlungi dicebantur. [2]   Nicht
anders steht es mit dem H a r l u n g e l a n d im
Biterolf v. 4596, und noch im 15. Jahrh. begegnet uns in der bezeichneten Gegend der
Geschlechtsname H a r l u n g . [3]

B r e i s a c h also ist der Sitz der H a r l u n g e ,
und nach dem treuen Pfleger und Hüter derselben, dem E c k e h a r d , hiesz am Ende des
XII. Jahrh. der südliche Hügel von Altbreisach
der E g g e h a r d t b e r g , jetzt E c k e r s b e r g . [4]
Die Erwähnung dieser durchaus mythischen
Person weist entschieden in das Heidentum
zurück, und es ist zwischen ihm und der höchsten
Göttin, der F r e y a ein Zusammenhang anzunehmen.   In der nordischen Sage nämlich sind

---

[1] W. G r i m m , Heldens. 188. M ü l l e n h o f f , a. a. O. 303.

[2] W. G r i m m , ebendas. 37.

[3] M ü l l e n h o f f , a. a. O., dem wir auch viele der folgenden
Nachweisungen verdanken. Weitere Zeugnisse über die Harlunge
u. d. H a r l u n g e n b e r g v. J a e n i c k e , Haupt's Z. N. F. III, 312 f.

[4] Vgl. W a c k e r n a g e l , Haupt's Zeitschr. VI, 157.

die Brîsingar die Verfertiger oder ersten
Besitzer eines berühmten Halsbandes, das
der Freya beigelegt wird. In derselben oben
bezeichneten Gegend haftet auch an dem
Burlenberge [1]) die Sage von einem Schatze,
der dort verborgen liege, einem Schatze der
Ymlunge, d. i. der Amelunge, oder
weiterhin des Ermanrich. Schlusz: das
Brôsinga mene ist mythisch gefaszt der
Schmuck der Freya, und weiter in der Heldensage identisch mit dem Schatz des Ermanrich,
dem Gold der Harlunge, endlich dem Schatz
von Breisach. So vermutete bereits Simrock [2]), und Müllenhoff [3]) gab dazu die
Einschränkung, es sei der Name „die Ursache
für die sonst unerklärliche Localisierung des
Mythus auf den Mons Brisiacus, und diese sei
bald erfolgt, nachdem der Mythus mit der
Ermenrichsage schon im 6. Jahrh. verbunden
und im Epos mit historischen Sagen in eine
Reihe getreten war." Die angelsächsische Sage
aber, „die für jene Verbindung das älteste
Zeugnis abgibt," hat uns die mythische Bezeichnung Brôsinga mene bewart.

----

[1]) Vgl. den Marner bei v. d. Hagen MS. II, 241 a.
W. Grimm, Heldens. p. 162. Der Burlenberg ist der jetzige
Bürglenberg. Wackernagel a. a. O.

[2]) Vgl. dessen Handb. der deutsch. Mythol. p. 377 f.

[3]) in den erwähnten Excursen zur deutsch. Heldens. Haupt's
Z. XII, 303 ff.

Mit Rücksicht auf die Herkunft des Namens will nun auch derselbe vorhin genante Gelehrte Breosinga mene lesen, da die erste Länge im altnord. Brîsingr nicht feststehe; doch auch bei der Länge der ersten Silbe (cf. Brîsach) sei eine solche Verkürzung nach Analogie von Italien, ags. Eotol, nach den Verkürzungen in lîhi, liht, leoht, gerechtfertigt.

In Betreff Heime's stimt übrigens das in unserem Liede gemeldete nicht mit anderen Sagen vom Ende Heime's [1]), auch ist so manches in Ausdruck und Erzählung schwerlich zu entwirren; versuchte Combinationen laszen wir selbstverständlich auf sich beruhen.

---

[1]) Vgl. Wilh. Grimm, Heldens. 340.

II. Episoden mit historischer Grundlage.

Cap. 1.

Feldzug und Fall des Hygelâc. Franken, Friesen, Hugen, Hetvare, Merovinger.

Der sagenkundige Interpolator B hat an 4 Stellen unseres Liedes Episoden eingeschaltet vom Feldzuge des Geátenkönigs Hygelâc gegen Franken und Friesen, Hugen und Hetvare, jede in etwas anders gestalteter Faszung, doch in der Sache selbst übereinstimmend. Wir finden dieselben vor in folgendem Zusammenhange.

Die erste lesen wir v. 1202 — 1214. Beóvulf erhält ein kostbares Halsgeschmeide zum Geschenke; „von einem schöneren Schatzkleinode hat man nie vernommen, seit Hama[1]) zur stralenden Burg die Halskette der Brôsinge forttrug, den herlichen Schmuck; er floh die Nachstellungen Eormenrîchs, er wählte den ewigen Rat (d. h. er starb.)“ Hier fügt der Interpolator folgendes ein:

þone hring häfde Higelâc Geáta
nefa Svertinges nýhstan sîðe,
siððan he under segne sinc ealgode

---

¹) Vgl. hierüber das vorige Cap. a. Sihl.

välreáf werede: hyne Vyrd fornam,
syððan he for vlenco veán âhsode
faehðe tô Frysum; he þâ frätve väg
eorclanstânas ofer ÿða ful,
rîce þeóden: he under rande gecranc.
Gehvearf þâ in Frankna fäðm feorh cyninges,
breóstgevaedu and se beáh somod:
vyrsan vîgfrecan väl reáfedon
äfter gûðsceare Geáta leóde,
hreávîc heóldon.

„Diesen Ring hatte Higelâc, der Geátenfürst, der Neffe Svertings, als er zum letzten Male [1]) unter dem Banner Schätze schirmte, die Schlacht- beute schützte: ihn raffte das Geschick dahin, als er in stolzem Mut Unglück erfuhr in der Fehde gegen die Friesen; er führte den Schmuck mit sich, die Edelgesteine, über das Meer, der mächtige König: er fiel unter dem Schilde. Es ging da hinweg in der Franken Gewalt [2]) das Leben des Königs, die Brustbekleidung und der Ring zugleich: [3]) schlechtere Kampfhelden plünderten die Leiche nach dem Kampfgemetzel des Geátenvolkes, [4]) hatten die Leichenstätte inne."

---

[1]) „auf seinem letzten Zuge" Leo.

[2]) So Heyne; „Eigentumsgewalt, Besitz" Grein; Kemble: „in der Wurfspiesze Umarmung" (von france).

[3]) breóstg. u. se beáh als Nom. gefaszt.

[4]) Heyne interpungiert nach gúðsceare, und es würde heiszen: die Leute (leóde nom. pl.) also die Feinde hatten der Geáten Kampfstätte inne?

Eine zweite Stelle über den Zug begegnet uns 2354—2372. Das Reich Hygelâcs war nach dem Falle desselben und Heardrêds in Beóvulfs Hände gelangt, als ein schrecklicher Drache, der Hüter eines reichen Schatzes, das Land verwüstete. Es entschliesst sich Beóvulf zum Kampfe gegen das Untier, wir werden erinnert an die vielen tapferen Taten des Helden, an seinen Kampf mit Grendel, und der Interpolator fährt fort:

Nô pät läsest väs
hondgemôt, pär mon Hygelâc slôh,
syððan Geáta cyning gûðe raesum
freávine folces Freslondum on
Hrêðles eafora hiorodryncum svealt
bille gebeáten. Þonan Bióvulf com
sylfes cräfte, sundnytte dreáh:
häfde him on earme ([ân and] þrittig)
                              (. . . XXX MS.)
hildegeatva, þâ he þô holme stâg.
Nealles Hetvare hrêmge porfton
fîðevîges, þe him foran ongeân
linde baeron: lyt eft becvom
fram pam hildfrecan hâmes niósan.
Ofersvam þâ sióleða bigong sunu Ecgþeóves
earm ânhaga eft þô leóðum,
þär him Hygd gebeád hord and rîce,
beágas and bregostôl: bearne ne trûvode,
þät he við älfylcum êðelstôlas
heáldan cûðe, þâ väs Hygelâc deád.

„Nicht war das das kleinste Handgemenge, wo
man den Hygelâc erschlug, als der Geátenkönig in. des Kampfes Sturm, der freundliche
Gebieter des Volkes, im Friesenlande, der
Sprosz Hrêðels, durch Schwerttrunk [1]) starb,
von der Streitaxt getroffen. Davon kam Beóvulf
durch seine eigne Kraft, durchschwamm die See: [2])
er hatte an seinem Arme ..... 30 (?) [3]) der
Schlachtschmücke, als er zum Meere stieg.
Keineswegs durften die Hetvare frohlocken
über den Fuszkampf, die ihm vorwärts entgegen
die Schilde trugen; wenige kamen ihrer [davon]
vor dem Kampfkühnen, die Heimat aufzusuchen.
Er überschwamm das Gebiet des Meeres [4]) der
Sohn des Ecgþeóv, der arme, alleinstehende,
wider zu den Leuten, wo ihm Hygd [5]) anbot
Schatz und Herschaft, Ringe und Herscherstuhl:

---

[1]) Rieger, Zeitschr. f. d. Philol. Bd. III, p. 408 will hier
den Sinn unterlegen, dass er „durch Wunden entkräftet bei dem
Versuche sich schwimmend zu retten" ertrunken ist. Dagegen
mit Recht Bugge Ebendas. IV, 213 der erklärt: er. verblutete;
„die Blutströme seiner Wunden werden hiorodrynéas, haustus
letales genant, weil sie von Raben und Wölfen getrunken werden."

[2]) eig. er hatte die Beschäftigung des Schwimmens. cf. Heyne,
Gloss. o. dreógan.

[3]) Verdorbene Stelle. Greins [ân and] þrittig wird mit
Recht von Heyne und Rieger (a. a. O. p. 408) verworfen.
Letzterer schlägt vor: haefde him on arme [ân] XXX [es] hildegeatva, was dann bedeuten soll, Beóvulf habe schwimmend die
Brünnen von 30 erschlagenen Franken mit sich getragen. Bugge
ebendas. IV, 213 empfiehlt Greins früheres [âna] þrittig mit
demselben Sinn.

[4]) vgl. auch Dietrich, Haupt's Zeitschr. XI, 416.

[5]) Hygelâc's Gemahlin.

sie traute dem Kinde [1]) nicht, dasz er wider fremde Volksschaaren [2]) den angestamten Thron behaupten könte, da Hygelâc tot war."

Eine dritte Stelle befindet sich v. 2497—2508. Ehe Beóvulf zum Kampfe mit dem Drachen schreitet, entbietet er voll Todesahnung seine Mannen und gedenkt in längerer Rede seiner Jugendgeschichte, seines Verhältnisses zu Hrêðels Haus und Hygelâc, dem früheren Gebieter, seiner Kämpfe für dasselbe gegen die Schweden und fährt fort:

Symle ic him on fêðan beforan volde
âna on orde and svâ tô aldre sceall
säcce fremman, þenden þis sveord þolað,
þät mec aer and sîð oft gelaeste, [3])
syððan ic for dugeðum Däghrefne vearð
tô handbonan, Huga cempan:
nalles he pâ frätve Frescyninge
breóstveorðunge bringan môste,
ac in campe gecrong cumbles hyrde
äðeling on elne; ne väs ecg bona,
ac him hildegrâp heortan vylmas
bânhûs gebräc.

„Immer wollte ich früher in seiner [4]) Krieger-schaar allein an der Spitze sein, und so fürs Leben (immer) soll ich den Streit ausüben, so

---

[1]) dem noch unmündigen Heardrêð.
[2]) vgl. Heyne, Gloss. v. älfylc.
[3]) So interpungiere ich mit Heyne.
[4]) him, bezüglich auf Haeðcyn, oder Hygelâc.

lange diesz Schwert aushält, das es mir früher
und später oft leistete, als ich vor dem edeln
Gefolge den Dághrefn mit der Faust erschlug,
den Kämpfer der Hugen: keineswegs durfte
er das Kleinod, den Brustzierrat, dem Friesenkönige zum Geschenke bringen, [1] sondern im
Kampfe fiel er, der Hüter des Banners, der
Edeling voll Kraft. Nicht war das Schwert
sein Mörder, sondern die Kampffaust ihm die
Brust und das Knochenhaus zerbrach."

Eine vierte Stelle endlich finden wir
2910—2921. Beóvulf liegt tot und neben ihm
erschlagen der schreckliche Drache; die edle
Gefolgschaft, um ihn gelagert, stellt unter Klagen
Betrachtungen darüber an, was jetzt wol dem
verwaisten Lande und Volke bevorstehe, wenn
der Fall des Königs den lauernden, früher nider-
geworfenen Feinden kundbar würde:

       Nu ys leódum vên
orleghvîle, syððan underne [2]
Froncum and Frysum fyll cyninges
vîde veorðeð. Väs sió vrôht scepen
heard við Hugas, syððan Hygelâc cvom
faran flotherge on Fresna land,
þär hyne Hetvare hilde gehnaegdon,
elne geeodon mid ofermägene,

---

[1] Es ist wol der Halsring gemeint, den Beóvulf von Vealhþeóv geschenkt erhielt v. 1195. 2173. cf. Rieger, a. a. O. p. 414.

[2] So Grein und Heyne; MS. under. Zusammengehören
vîde (2913) und underne, eig. weit unverholen.

þät se byrnvîga bûgan sceolde,
feóll on fêðan: nalles frätve geaf
ealdor dugoðe. Us väs â syððan.
Merevîoinga milts ungyfeðe.

„Nun ist dem Volke die Erwartung auf Kriegs-
zeit, sobald gar wol bekant wird den Franken
und Friesen der Fall des Königs. Es war der
Streit entstanden hart bei den Hugen, als
Higelâc kam gefahren mit einem Schiffsheere
in das Land der Friesen, wo ihn die Hetvare
im Kampfe darnieder streckten, in Kraft einher-
zogen mit Uebermacht, so dasz der gepanzerte
Kämpe dahinsinken muste, fiel unter der Krieger-
schaar; keineswegs (oder nicht mehr?) gab der
Fürst der edlen Gefolgschaft Kleinodien. [1]) Uns
war immer seitdem der Merevîoinger Freundschaft versagt.“

Es wird uns in diesen vier Berichten stück-
weise das ganze Gemälde des Kampfes entrollt.
Zunächst gilt nach der ersten Episode der
Feldzug den Friesen, doch heiszt es bald

---

[1]) Grein übersetzt: der Fürst gab nicht mehr Schmuck dem
edlen Gefolge. Rieger a. a. O. p. 413 f. faszt dugoðe als gen.
sg. abhängig von ealdor und erklärt frätve für den oft erwähnten
Schmuck, den Hygelâc trug. cf. 1206. 2502. Und später läszt
Rieger doch die Leiche des ertrunkenen Hygelâc (vgl. oben)
nebst Schmuck in die Hände der Feinde fallen! Uns scheint
Grein's Erklärung die beszere; nicht mehr teilte der Fürst dem
Gefolge Kleinodien aus; in dem „nalles“ liegt grade der verschärfte
Gegensatz: jetzt leider nicht mehr, der beága brytta war tot.
Das reichliche Spenden von Gold und Kostbarkeiten kenzeichnete
grade den König.

darauf, Leben und Kleinodien des Fürsten seien
auf diesem Feldzuge in die Gewalt der Franken
gefallen. In der zweiten ausgezogenen Stelle
erzählt der Interpolator nochmals von dem Tode
des Königs im Friesenlande, meldet aber
zugleich die Rettung Beóvulfs, der, nachdem
er den Hetvaren noch furchtbaren Verlust
zugefügt, so dasz wenige derselben heil die
Heimat widersehen, mit der Schlachtbeute sich
durch das Meer schwimmend zur Hygd und
seinen Leuten rettet. So sind gleichsam, hält
man diesen Bericht gegen den ersten, Franken
und Hetvare identisch. In der dritten Stelle
rühmt sich Beóvulf, wie er im Handgemenge
(wahrscheinlich um des erschlagenen Königs
Leiche) die anstürmenden Hugas aufhält und
ihren besten Kämpen Dâghrefn erschlägt, so
dasz dieser nun nicht mehr den dem Hygelâc
abgenommenen Brustzierrat seinem Herrn, dem
Friesenkönige übergeben kann. So solte
man einerseits voraussetzen, dasz Hygelâc von
einem Hugen (Dâghrefn) erschlagen worden,
andererseits dasz Franken, Friesen, Hugen und
Hetvare ein und denselben Völkerkomplex
ausmachen.

Der umfaszendste ist eigentlich der 4.
Bericht, in welchem nicht nur alle 4 Stämme
in Action befindlich aufgeführt werden, sondern
noch ein anderer Volksname hingestellt wird,
der ursprünglich nur von den Franken geltend,

sich hier auf alle vordem genanten Stämme zu erstrecken scheint. Die **Franken** und **Friesen**, heiszt es, werden sich des Königs Fall merken; die Ursache der feindseligen Gesinnung derselben gegen die Geáten sei der Zug des Hygelâc, der den **Hugen** und **Friesen** gegolten, wo die **Hetvare** den **Hygelac** erschlugen; daher die Feindschaft der **Merovinger**. [1]) Man sieht, der Interpolator ist sich über die Einzelheiten des Zuges und über die einzelnen Völkerschaften, denen er galt, nicht so ganz klar: ihm schwebt ein Zug vor des geátischen Heerkönigs gegen Volkstämme an der Nordsee und dem Nider-rhein, die er einzeln wol dem Namen nach kent und auch aufführt; es bricht aber durchaus, besonders im letzten Bericht, bei ihm das richtige Gefühl hervor, dasz jene Völker durchaus zusammengehören, ja Glieder eines groszen Ganzen sind, des Reiches der **Merovinger**.

Eine Kombination jener vier Berichte ergäbe nun etwa folgenden Zusammenhang.

Hygelâc, König der **Geáten**, unternimt einen See- und Raubzug gegen die **Friesen** und **Franken** (**Merovinger**) [2]). Auf dem

---

[1]) Ich gebrauche schon jetzt die uns geläufige Form des Namens; eine Erklärung der angelsächsischen Form s. u.

[2]) Oder ist ein doppelter Kampf der Geáten in den unteren Rheingegenden anzunehmen, ein glücklicher gegen die **Friesen** und ein unglücklicher mit den **Franken** an der **Maas**, den die Sage nicht unterscheidet? Vgl. auch **Müllenhoff**, Haupt's Z. VI, 438. Siehe u.

Rückzuge (?) werden die Geáten von dem Aufgebot der Friesen und Franken, den **Hugen** und **Hetvaren** ereilt, und Hygelâc wird im Handgemenge von denselben erschlagen; [1]) nur **Beóvulf**, des Königs Gefolgsmann, der im Gemetzel den Mörder Hygelâcs, den Hugen **Däghrefn** erschlagen und den Hetvaren bitteren Verlust zugefügt, entkomt mit Schlachtbeute zu seinen Mannen (eft tô leódum [2]), wo ihm Hygelâcs Witwe **Hygd** den Thron ihres Gatten anbietet.

Hieran reihen wir die Berichte fränkischer Quellen, die unzweifelhaft dasselbe Ereignis im Auge haben.

Bei **Gregor von Tours** Hist. Franc. III, 3 lesen wir:

His ita gestis **Dani** cum rege suo **Chochilaico** evectu navali per mare **Gallias** appetunt, egressique ad terras pagum unum de regno **Theoderici** devastant atque captivant; oneratisque navibus tam de captivis quam de reliquis

---

[1]) Rieger's Annahme, Zeitschr. f. d. Ph. III, 414, Hygelâc sei verwundet auf der Flucht im Waszer ertrunken, ist mit Recht zurückgewiesen von **Bugge**, ebendas. IV, 213.

[2]) Oder heiszt das, zu dem Gros der Flotte, die vorausgeeilt war, so dasz also nur die Nachhut, bei der der König sich befunden, überfallen worden wäre? Vgl. v. 2916 f.: þär — Hetvare — eine geeodon mid ofermägene. Für diese Auffaszung spricht der gleich folgende Bericht des Gregor von Tours. Von der anderen Seite freilich solte man nach der Fortsetzung im Liede — eft tô leódum, þaes him Hygd gebeád u. s. w. denken, er sei direct in die Heimat gelangt.

spoliis reverti ad patriam cupiunt: sed rex eorum ad litus residebat, donec naves altum mare comprehenderent, ipse deinceps secuturus. Quod cum Theodorico nuntiatum fuisset, quod scilicet regio eius fuerit ab extraneis devastata, Theodobertum filium suum in illas partes cum valido exercitu ac magno armorum apparatu, direxit; qui interfecto rege hostes navali proelio superatos opprimit omnemque rapinam terrae restituit.

Hiermit vergleiche man den Bericht in den Gest. reg. Franc. c. 19:

Dani cum rege suo nomine Chochilago cum navale hoste per altum mare Gallias appetunt, Theuderico pagum Attuarios vel alias devastantes atque captivantes, plenas naves de captivis habentes, alto mare intrantes, rex eorum ad littus maris resedit. — M. Haupt[1] teilte nach Berger de Xivrey, Traditions tératologiques, aus dem Anhang zu Pithoeus' im 10. Jahrh. geschriebener Handschr. des Phaedrus ein Stück mit: de Getarum rege Huiglauco mirae magnitudinis . . . . . . qui imperavit Getis et a Francis occisus est. Vollständig lautet das Fragment nach Müllenhoff:[2]

---

[1] in sr. Zeitschr. f. d. A. V, 10. Vgl. auch Grimm, Gesch. d. d. Spr. 411.

[2] Haupt's Zeitschr. XII, 287; aus der Weiszenburger, jetzt Wolfenbüttler Handschr. des Phaedrus, die, dem Pithoeanus gleichzeitig, mit ihm aus derselben älteren Quelle stamt, nach Abdruck bei Lud. Tross, Epistola ad Julium Fleutelot. Hammone 1844 p. 35 f.

De Huncglaco Magno.

Et fiunt monstra mirae magnitudinis ut rex
huncglaucus, quae enim imperavit gentes [1])
et a francis occisus est. quem equus a duodecimo
aetatis anno portare non potuit, cuius ossa in
reni fluminis insula ubi in Oceano prorumpit
reservata sunt et de longineo venientibus pro
miraculo ostenduntur.

Die Identität des Chochilaich mit
Hygelâc im Beóvulf, ferner der Hetvare
des letzteren mit den Attuarii der Gesta reg.
Franc. hat zuerst entdeckt der Däne Grundtvig [2]), und nach ihm ist die Sache fast allgemein
angenommen worden. Unsere Aufgabe wäre es
nun zunächst, diese historischen Berichte anein-
anderzuhalten und mit dem Ergebnis den Bericht
der Sage zu kombinieren.

Chochilaich, ein König der Dänen
(der Geten d. i. Gauten) fällt in Gallien,
d. h. in den nordöstlichen Teil des Landes, das
Gebiet des Theodorich (von Metz, des
Sohnes des Chlodovech), in den Gau der Attuarier ein, verwüstet den letzteren und wendet
sich mit groszer Beute beladen dem Meere zu.

----

[1]) leg. qui imperavit Getis.

[2]) Dannewirke 1817 Bd. II, 284 ff. Vgl. Müllenhoff,
Haupt's Z. VI, 487. Bouterwek, ebendas. XI, 64. Grimm,
Gesch. d. d. Spr. 410 f. Erwähnt wird das Factum bereits von
Dahlmann, Gesch. v. Dännemark I, 19, noch früher von Jan
Wagenaar, Vaderlandsche Historie u. s. w. 1790, I, 311 ff.,
welchem letzteren aber die Beóvulfsage noch nicht bekänt war.

Hier aber, am Strande desselben, wie er eben den Auslauf seiner beutebeladenen Flotte (aus Rhein oder Maas?) zu decken sucht, um alsdann mit der Nachhut selbst zu folgen, wird er von Theudebert (dem Sohne Theodorichs), der auf des Vaters Befehl ein groszes Heer gesammelt, eingeholt, bewältigt und erschlagen, die geraubte Beute aber dem Lande restituiert.

Nach einem Vergleich mit dem Bericht der Sage erkent man gleich, dasz die letztere das historische Ereignis auch durchaus historisch behandelt hat: daher ist auch kein Zweifel, dasz die Namen, welche sie noch auszerdem überliefert, die Namen des Beóvulf, der Hugas und ihres Kämpen Däghrefn (Tagrabe) historische Grundlage haben. Eine eigentliche Ergänzung des historischen Berichtes gibt uns ferner die Sage dadurch, dasz sie als Teilnehmer am Kampfe die Friesen erwähnt und schlieszlich alle jene Feinde des Hygelâc resp. des Beóvulf mit dem Namen Merovinger bezeichnet. Solte der Nachdichter mit den letzteren nicht die fränkischen Merovinger Theudebert und Theodorich meinen, indem er uns den Namen als Geschlechtsnamen des fränkischen Herscherhauses vorführt, der dann, wie die Namen der Scildinge und Scylfinge, auch als Gesamtname für die fränkisch germanischen Stämme des Niderrheins aufgefaszt werden kann? Das Verhältnis des historischen zum

mythischen Beóvulf wurde bereits oben
(I. Cap. 2) genügend dargelegt, so dasz wir
hier uns nur mit dem historischen Factum an
sich und den handelnden Völkern abzufinden
haben. In dem ganzen historischen Bericht
der fränkischen Quellen mit J. Grimm [1]) einen
Mythus sehen wollen, welchen Gregor von
Tours nur zu einem geschichtlichen Ereignis
gemacht habe, ist doch eine willkürliche Annahme
zu nennen: in dieser Weise läszt sich eine von
Sage und Geschichte in nicht zu verkennenden
Beziehungen zu einander gemeldete Ueberlieferung nicht zurückweisen.

Es wäre nun Schritt für Schritt der historische
mit dem sagenhaften Bericht zu parallelisieren
und so nach genauester Zerlegung des Details
ein Bild von der ganzen Begebenheit in allen
ihren Teilen zu gewinnen. Wenn ich in dem
folgenden, wie auch schon teilweise in dem
vorigen, etwas gar weit auszuholen, auch wol
in weit abliegende Untersuchungen zu verfallen
scheine, so möge man das auffaszen als reges
Interesse für die Geschichte der Völker des
Niderrheins, welche ich durch diese Auseinandersetzungen einigermaszen zu fördern glaube.

Hygelâc, fränkisch Chochilaic (nord.
Hugleikr), in der Sage des zehnten Jahrh.
Huncglaucus [2]), im Gedicht genant König-

---

[1]) Gesch. d. d. Spr. 468.
[2]) Wol verderbte Form, die in der ersten Aufzeichnung

der Gauten (Geáten), ist nach Gregor von
Tours König der Dänen; die spätere Sage erinnert sich seiner noch als eines rex Getarum,
statt Geatarum, Gautarum. Die fränkische
Quelle faszt nun wol unter dem Namen Dänen
sämtliche gegen Norden auf der kimbrischen
Halbinsel und den dazu gehörigen Inseln und
weiter im südlichen Scandinavien (Schonen)
hausenden Stämme, seien es Gauten, Dänen oder
Jüten zusammen. Haben wir doch schon nach
unserem Liede zwischen Dänen und Geáten eine
enge Verbindung und Waffenbrüderschaft kon-
statiert, und oben (I, Cap. 1) haben wir an der
Hand der Reiseberichte in Ælfreds Orosius
genau 2 Dänenreiche geschieden, das erste
(eigentliche) östlich vom groszen Belt, die Inseln
(Seeland u. s. w.) nebst Südschweden, das zweite
westlich vom groszen Belt, Jütland und viele
Eilande (Fünen u. s. w.) umfaszend. Somit ist
die auf historischer Grundlage beruhende Vermutung berechtigt, dasz Geáten und Dänen,
in enger Waffen- und Stammesgenoszenschaft
vereinigt, bald nach dem Zuge der Angeln,
Sachsen und Jüten [1]) nach Britannien das von

---

vielleicht Hug- Hæoglaucus gelautet haben mag. Müllenhoff,
Haupt's Z. XII, 287. Vgl. Hugebolt, der nach dem Eckenl. 83
den Herbort erschlug. S. o. p. 100.

[1]) Beda Veneb., Hist. eccles. gent. Angl. I, 15. Vgl. Grimm,
Gesch. d. d. Spr. p. 511. Die Eroberung von Jütland durch die
Dänen steht fest aus den Berichten des Saxo Grammaticus etwa
im 6. Jahrh. und anderen. Grimm p. 509 f. Im ganzen Mittelalter werden Jüten bereits zu den Dänen gerechnet. Grimm, 513.

den letzteren bewohnte Terrain an sich genommen und besetzt haben.

Der Zug des Geátenkönigs gilt nun nach unserem Liede den Friesen und Franken, unter welchen letzteren im Verlaufe der Erzählung besonders die Hugen und Hetvare namhaft gemacht werden. Die fränkische Quelle des Gregor von Tours spricht nur von dem Zuge desselben nach Gallien, worunter zweifelsohne das linksrheinische, noch zu Gallien gezählte Germanien verstanden ist. Die andere Quelle der Gesta Francorum gibt direct als Ziel des Plünderungszuges den Gau der Attuarier an, Gregors Bericht in etwa modifizierend. Es wäre uns hiermit wenigstens ein Anhaltspunkt zur weiteren Erläuterung des Sagenberichtes gegeben, und wenn nach sicherem historischem Berichte der Zug des Hygelâc vorzugsweise den Attuariern (Hetvare) galt, so wäre zunächst über diese und ihr Verhältnis zu den andern im Liede in Mitleidenschaft gezogenen Völker (Friesen, Franken, Hugen) zu handeln und die Frage aufzuwerfen: wo befindet sich dieser Gau der Attuarier? Von diesem Angelpunkte aus wäre dann auch den übrigen Fragen ohne grosze Mühe wol beizukommen.

Die Attuarii, nach Strabo (VII, 3 u. 4) Χαττουάριοι, deren Name sich weder bei Tacitus,[1)

[1)] Seine Chasuarii (Germ. 34) bei Ptolemaeus Κασουάριοι, bilden eine andere, an der Hase wohnende und von ihr den

noch bei Dio Cassius findet, werden zuerst
erwähnt im Feldzuge des Tiberius (3 u. 4 n. Chr.)
bei Velleius Paterculus II, 105: intrata
protinus Germania, subacti Caninefates, Attuarii,
Bructeri, recepti Cherusci. [1] Die Caninefaten,
die stets eng verbunden mit den Batavern
erscheinen [2]), hatten ihre Wohnsitze in dem
nordwestlichen Teil der batavischen Insel, etwa
von den Mündungen des Rheins nach Norden
bis in Nordholland hinein. Dasz er von hier
gleich zu den Chattuariern überspringt, daraus
folgt etwa noch nicht, dasz die Chattuarii directe
Nachbarn der Caninefaten und Bataver gewesen
seien, vielmehr sind als dazwischen wohnend anzunehmen solche Völkerschaften, die der Römer
Freundschaft genoszen, gegen welche sich das
Schwert des Tiberius also nicht zu wenden
brauchte: Chamavi, Tubantes. [3]) Dem bom-
bastischen und oberflächlichen Lobhudler des
Tiberius kam es auf eine Ungenauigkeit mehr

Namen herleitende Völkerschaft. Grimm, Gesch. d. d. Spr. 409.
Müllenhoff, Haupt's Zeitschr. IX, 232 f. v. Ledebur, Land
u. Volk der Bructerer p. 102. v. Wietersheim, Gesch. d.
Völkerw. I, 295.

[1]) Dieser Feldzug wird eingehend behandelt von meinem
Vater A. Dederich, Die Feldzüge des Drusus und Tiberius in
das nordwestliche Germanien. Köln u. Neusz 1869. p. 112 ff.

[2]) Eine Deutung ihres Namens vom alten canna = hunno
(centurio cf. Hêljand 2093 Heyne), resp. dem Gen. plur. cannanê
und dem got. faþs (also „equitum domini" d. i. Reitervolk, Reiterabteilung gibt Holtzmann, die Centeni der Germanen, Jahrb.
d. Ver. v. Alt. i. Rh. XXXVI, 16 u. z. Germ. d. Tac. p. 149. S. o.

[3]) Dederich, a. a. O. p. 114.

oder weniger nicht an. Durch das Gebiet dieser
beiden Völkerschaften, die noch von Drusus
Zeiten her sich dem Joch der Römer gebeugt
hatten und es noch nicht wagten, als offene
Feinde Roms aufzutreten, nahm Tiberius seinen
Weg zu den Attuariern. Wir befinden uns somit
auf der rechten Rheinseite, und im Norden
reichen die Attuarier mit ihrer Spitze an die
Chamaver ¹), im Osten streifen sie an das Gebiet
der Bructerer, die von Velleius richtig an sie
herangereiht werden. Für eine etwas spätere
Zeit (16 n. Chr.) nent sie uns Strabo (VII, 4)
bei dem Bericht über den Triumph des Germanicus in folgender Gesellschaft: καὶ ἄλλα δέ
σώματα ἐπομπεύϑη ἐκ τῶν πεπορϑημένων ἐϑνῶν, Καούλκων
Καμψανῶν. (so Meineke) Βρουκτέρων, Οὐσίπων,
Χησούσκων Χάττων Χαττουαρίων Λανδῶν Τουβαττίων.
An einer anderen Stelle nent er zusammen:
Χηροῦσκοί τε καὶ Χάττοι καὶ Γαμαβριούιοι καὶ Χαττουάριοι. πρὸς δὲ τῷ ὠκεανῷ Σούγαμβροί τε καὶ Χαῦβοι
καὶ Βρούκτεροι. Auch Tacitus berichtet An. II, 41
von diesem Triumphe des Germanicus, nent aber
nur die Cherusker, Chatten und Angrivarier und
fährt fort: quaeque aliae nationes usque ad

---

¹) Diese Grenznachbarschaft und spätere Verbindung der
Chamaver und Chattuarier hat überzeugend dargetan mein
Vater A. Dederich in der Abhandlung: Beiträge zur röm. –
deutsch. Gesch. Progr. Emmerich 1849. p. 12 ff., vgl. dessen
Gesch. d. Röm. u. Deutsch. am Niederrhein u. s. w. Emmerich
1854 p. 76 f. Feldzüge des Drus. 116 ff. Der Frankenbund,
dessen Ursprung und Entwickelung. Hannover 1873 p. 11.

Albim colunt. Zeusz[1] freilich (und ihm schlieszt sich an Müllenhoff[2]) folgern -aus diesen Stellen und der angeführten des Velleius, dasz die Chattuarier kein besonderes Volk gebildet haben, sondern gleichzusetzen sind den Batavern und Caninefaten, und Zeusz glaubt grade in dieser Bezeichnung eine Bestätigung zu finden für den aus Tac. Germ. 29. Hist. IV, 12 gefolgten Zusammenhang der Bataver mit den Chatten. Zugegeben, dasz die Bataver einen Zweig der Chatten bildeten, so ist doch eine weitere Folgerung aus den Worten des Velleius, wie wir gesehen, nicht angebracht, und ebensowenig ist es zuläszig, die Namen der Chattuarier, die am Ende ihrerseits auch mit den südlicher wohnenden Chatten zusammenhangen mögen, aus Strabo auszumerzen. Ist denn nicht auch eine ältere Verzweigung der Chatten in Bataver und eine jüngere in Chattuarier möglich? Der Zusammenhang wird, hoffe ich, meine Annahme, dasz sie ein selbständiges Volk bildeten, rechtfertigen. [3]

Doch kehren wir wider zu unserer Stelle

---

[1] Die Deutsch. u. d. N. p. 100.

[2] Haupt's Zeitschr. IX, p. 234. Müllenhoff ist obendrein noch der Ansicht, der Name der Chattuarier sei wol nur durch einen Irrtum entweder des Strabo oder eines verwirrten Abschreibers hierhin gekommen.

[3] Gegen Zeusz wendet sich auch mit Recht A. Dederich, Feldz. d. Drus. u. Tib. 118 f. Vgl. Grimm, Gesch. d. d. Spr. 409, der sie auch für einen Nebenstamm der Chatten hält, p. 401.

im Strabo zurück. Ordnung in die Sache und die Namen hineinzubringen ist mehrfach versucht worden [1]; wir haben uns einstweilen nur nach unseren Chattuariern und ihren unmittelbaren Nachbarn umzusehen. Der Geograph bringt sie zunächst in Verbindung mit den Bructerern, Usipiern, Cheruskern und Chatten; in der anderen Stelle, die wir oben angeführt, sind zwischen ihnen und den Chatten noch die Gamabrivier [2] eingeschoben, und es folgen Sugambern, Chauben und Bructerer. (πρὸς τῷ ὠκεανῷ). Die Χαῦβοι sind wol die hier vermissten Chamavi [3]; halten wir alsdann nach dieser Substituierung die Völkerreihe fest: Cherusker, Chatten, Gambrivier, Chattuarier, Sugambern, Chamaven, Bructerer, oder indem wir die beiden ersten als für uns hier unwesentlich auszer Acht laszen: Gambrivier, Chattuarier, Sugambern, Chamaven, Bructerer. Nun waren zur Zeit des Triumphes der Germanicus die Sugambri bereits durch des Tiberius Treulosigkeit vernichtet und zersplittert, teils nach Gallien, teils auf das linke Ufer des Rheines verpflanzt [4] und so ziemlich lahm gelegt;

---

[1] Müllenhoff, Haupt's Z. IX, 235 ff. Dederich, Feldz. u. s. w. p. 126—130.

[2] bei Tacitus (Germ. 2) Gambrivii.

[3] Dederich, Feldz. d. Dr. 128. Frankenb. 20. Man vergleiche die sonstigen Namen bei Strabo: Καμανοί, Καμαβοί, Χαμαβοί. Zeusz, 91. Ukert, Germ. 389.

[4] wo wir sie später als Cugerni widerfinden (s. unten).

unter einem andern Namen erscheinen sie jetzt vielfach und vermischen sich mit anliegenden Völkern. — Mit ihnen eines Stammes, oder doch urverwant scheinen gewesen zu sein die Gambrivii[1]), deren Name bei Tacitus als ächt germanisch und alt bezeichnet wird (verum et antiquum nomen). [2]) Beide Wörter sind gleicher Abstammung vom alten gambar, strenuus, audax, und zwar ist Su-gambri verstärkt durch das vorgesetzte sanskr. Praefix si, su ($\varepsilon\check{v}$, bene), welches auch in der germanischen Ursprache als vorhanden zu betrachten ist. [3]) Sollte Gamabrivii ($\Gamma\alpha\mu\alpha\beta\varrho\iota o\nu\iota o\iota$) nicht aus einer Verbindung mit Ubii entstanden sein? [4]) Die letzteren waren im Süden und Westen am Rhein die nächsten Nachbarn der Sugambern. So bleiben uns also jetzt für diese Zeit am Rhein in den verlaszenen Wohnsitzen der Usipeten und Sugambern die Chattuarier, mit ihnen

---

Vgl. über die Vernichtung dieses tapfern Stammes Dio Cassius, 55, 6. Tac. An. XII, 39. Zeusz, p. 85. Dederich, Feldz. d. Dr. 109. Watterich, Die Germanen des Rheins u. s. w. Leipz. 1872. p. 125 f.

[1]) Zeusz, 83 ff. Dederich, Frankenb. 39 ff.

[2]) Eine Handschr. der Germania des Tacitus (die Stuttgarter) hat cap. 2 hinter Marsos noch ein si, also: marsossi gambr.

[3]) So schon Graff, Alth. Sprachsch. IV, 207 f. Holtzmann zu Tac. Germ. p. 103. Grimm, Gesch. d. d. Spr. 367 denkt sich Sigambri entsprungen aus vollerem Sigigambri. Vgl. auch Zeusz, Die Deutsch. p. 436. und bes. Watterich, Die Germanen des Rheins p. 63 f. Dagegen mit Recht Müllenhoff, Haupt's Zeitschr. IX, 137.

[4]) Holtzmann, zu Tac. Germ. p. 104.

mögen sich dann die letzten Reste und Trümmer der noch auf der rechten Rheinseite verbliebenen Sugambern zur weiteren Fortsetzung des Kampfes gegen Rom vereinigt haben. [1]) So im Norden die Chamaver, im Osten die Bructerer, finden wir sie besonders mit den ersteren in ständiger Waffengenoszenschaft, und diese beiden Völker, in sich die Trümmer der Sugambern vereinigend, bilden später die Grundlage zum Frankenbund, der also eine chamavisch - chattuarisch - sugambrische Völkerverbindung zu nennen ist. [2]) Und um 360 finden wir die Chattuarier schon mit dem Namen Franci bezeichnet. Nach Ammianus Marcellinus XX, 10 gieng Julianus Apostata gegen 360 n. Chr. in der Nähe von Tricensima (zwischen Quadriburgium und Neusz) über den Rhein und besiegte sie: regionem subito pervasit Francorum, quos Attuarios vocant (so ist nämlich zu lesen nach dem cod. Vatic.). Dieser ihr alter rechtsrheinischer Gau wird also vorzüglich in den Ruhrgegenden zu suchen sein, und zwar nach Süden reichen sie bis zu dem Gebiete der Ubier (etwa Köln gegenüber, den alten Gauen der

---

[1]) Vgl. Watterich, Die Germanen des Rheins p. 152 f.

[2]) Die Idee einer chamavischen Völkerverbindung als Grundlage des Frankenbundes sprach zuerst aus A. Dederich; Gesch. d. Röm. u. s. w. p. 152 f., weiter begründet in Der Gau der Attuarier, Mitteil. d. Ver. f. Gesch. u. Altert. z. Frankf. a. M. Bd. II, p. 18 ff. Jnlius Caesar a. Rhein. Paderborn 1870 p. 82 ff. u. bes. im Frankenbund.

Usipier und Sugambern) und nach Norden mit
ihrer äuszersten Spitze an die Chamaver bis
ungefähr an die Stadt Emmerich. [1]) Schon
früher hatte Constantius Chlorus einen Teil
derselben nebst Chamavern an den linken Oberrhein versetzt, [2]) wider ein Beweis für eine
gewisse Zusammengehörigkeit und Waffengenoszenschaft beider Stämme. In dem vorher
bezeichneten Gebiete der Chattuarier ist nun auch
noch ein Gauname verbürgt aus Nachrichten
des 5. Jahrh. So heiszt es bei Pertz (Monum.
Germ. I, 6, 323): Saxones vastaverunt terram
Hattuariorum; an einer anderen Stelle (I, 7, 343)
ist das tt bereits zu zz verschoben (Hazzoariorum).
Und so geht durch das ganze Mittelalter ein
pagus Hattera neben dem pagus Boroctra, grade
wie Velleius Attuarier und Bructerer neben-
einander gestellt hat. [3])

Im 3. Jahrh. versuchten nun auf der ganzen
Rheinlinie, zunächst am Unterrhein, die c h a m a -
v i s c h e n F r a n k e n (auf deren Seite auch
Tubanten und Ampsivarier standen) gegen die
römischen Befestigungen daselbst vorzudringen;

---

[1]) Zwischen Emmerich und Rees findet sich im Mittelalter
ein p a g u s H a t t e r a , noch heute die Hetter genant. cf. A.
D e d e r i c h , Gesch. d. Röm. u. d. D. p. 77. Feldz. d. Drus. 117.

[2]) Z e u s z , Die Deutsch. 582. G r i m m , G. d. d. Spr. 411.
D e d e r i c h , Feldz. d. Drus. 116.

[3]) In diesem pagus lag (nach Lacombl. Urkundenb. Nr. 207
a. 1067) die villa Heribeddi (Pertz II, 680), jetzt Herbede bei
Witten an der Ruhr. Vgl. G r i m m , Gesch. d. d. Spr. p. 409.
W a t t e r i c h , Die Germ. d. Rheins p. 150 f.

mit ihnen vereinigten sich an dem südlicheren Teile des Niderrheins bis zum Mittelrhein die chattuarisch - sugambrischen Franken, denen die Trümmer der Bructerer sich anschloszen, vom Oberrhein her drängten sich rheinabwärts auch die Alemannen, und alle diese von Römerhasz erfüllten Stämme schoben sich unaufhaltsam über den Rhein hin. Zwar trieben (im 4. Jahrh.) die Waffen gewaltiger Imperatoren, wie Constantinus Magnus und Julianus Apostata, sie zu widerholten Malen zu paaren; allmählich aber muste die Befestigungslinie der Römer immer mehr nach Westen rücken: bereits Julian legte feste Plätze an der Maas an. Und bald, bei dem drohenden Untergang des abendländischen Reiches, gelangte allmählich das ganze linke Rheinufer in den Besitz dieser fränkischen Stämme.

So mögen denn auch, am Ende des 5. oder im Anfange des 6. Jahrhunderts die Chattuarier nebst den übrigen fränkischen Stämmen auf dem linken Rheinufer Platz gegriffen haben, und hier, „wo eine andere Ruhr (Roer) nach der Maas flieszt, längs dem Flüszchen Niers", werden zwischen Rhein, Niers und Maas nach den Reichsteilungen von 830 Attuarii, u. 870 ein comitatus Hattuarias aufgeführt,[1] und noch

---

[1] Vgl. Grimm, Gesch. d. d. Spr. 410. Watterich, a. a. O. p. 152.

früher, etwa in das Jahr 520, [1]) fällt, nach den übereinstimmenden Berichten fränkischer Quellen und der Sage im angelsächsischen Beóvulfliede, Chochilaich (Hygelâc) der König der Dänen (der nordischen Gauten) in den fränkischen Gau der Attuarier (der Hetvare) ein.

Mit gutem Fug also reiht unsre Sage die Hetvare (Chattuarier) den Franken ein, welche Zusammenstellung wir durch historische Combination für begründet erkant haben. Sie sind die Seele der chamavisch - sugambrischen Franken, und wahrscheinlich sind sie es, die nach der Vernichtung der markigen Römerfeinde, der Sugambern, mit ihren Resten verschmolzen die Erbschaft ewigen Römerhaszes überkamen und den gewaltigen Kampf gegen das morsche Römerreich in ihrem Sinne fortführten. Wenn nun Watterich, [2]) um seine Ansicht von der völligen Identität der Chattuarier und der Sugambern zu stützen, „in jenem Namen eine aus dem furchtbaren Unglücke [d. i. der Sugambern] erklärliche Herabstimmung des stolzen Wortes Sigigambar" sieht und in Folge dessen den Namen von hatu, hadu, Kampf herleitet, so ist das nach mehr als einer Richtung hin hinfällig, ja eine müszige Spielerei zu nennen. Zunächst ist bereits oben gegen

---

[1]) Diese Jahreszahl ist wol als gesichert anzunehmen. Vgl. Müllenhoff, Haupt's Zeitschr. VI, p. 437. S. o. I, cap. 1.
[2]) Die Germanen des Rheins p. 152 f.

diese Ableitung der Sugambri von Sigi-gambar
das Nötige bemerkt worden. Alsdann heiszt
das ahd. hatu oder hadu ags. heaðo, und man
sieht doch hiernach wol nicht ein, weshalb man
denn ags. nicht auch von Heaðovare sprechen
solte. Es ist uns wenigstens unerfindlich, dasz
bei der Herübernahme, oder vielmehr Reprodu-
cierung dieses Wortes, die Angelsáchsen, seine
eigentliche Bedeutung würdigend, ihm nicht
ihrer Sprache gemäsz die richtige Lautgestaltung
gegeben haben solten. Aber es heiszt ags.
Hetvare, und da ist doch wenigstens die
Grimmsche Erklärung [1]) den allgemeinen Laut-
gesetzen der altgermanischen Dialecte nicht
zuwider. Er erklärt den Namen der Chatten
und der Chattuarier als entstanden aus ags.
hät [2]) (engl. hat) altn. hattre pilus, pileolus,
galerus (etwa Hauptbinde oder Haube). Auch
Odhin führt den Namen Höttr, pileatus. Der
letzte Teil des Namens hienge dann bekantlich
zusammen mit got. varjan, welches Verbum
freilich eigentlich bedeutet defendere, vitare,
aber auch übertragen soviel ist wie habitare,
colere. Davon leitet sich ab altn. veri, ags.
vere, vare, colens habitans, varu habitatio
(bes. in Compositis landvaru, eorðvaru u. s. w.);
und varian selbst bedeutet ags. auch besetzt

---

[1]) Gesch. d. d. Spr. p. 401. Zeusz, Die Deutschen u. s. w.
p. 95 Anm.
[2]) Statt Hetvare liest man auch Vîdsid: Hätvare.

halten, besitzen, tenere, colere. So käme also
für Chattuarii heraus pileum colentes, mit Bezug
auf den kriegerischen Hauptschmuck dieser
Stämme. Ich lasze die Richtigkeit dieser Ableitung dahingestellt, kann aber doch die Bemerkung nicht unterdrücken, dasz doch die
meisten Volksnamen, deren zweiter Teil diese
Ableitung von got. varjan unverkenbar auf-
weisen, im ersten Teil doch gewöhnlich eine
örtliche Bezeichnung enthalten: Ampsivarii
= Emsanwohner, Chasuarii Haseanwohner,
Ripuarii, qui ripam tenent, Bajuvarii, qui
Boihemum incolunt, so wie altn. Rômverjar,
qui Romam incolunt, Romani. Ein Abstractum
liesze sich da noch eher mit colentes zusammen-
reimen, und da hatu, hadu aus sprachlichen
Gründen nicht angeht, so wäre etwa eine andere
Wurzel hat- zu got. hatis, ags. hete, alts. heti,
ahd. haz unterzulegen, in dem Sinne, odium,
rixam colentes sc. in Romanos. Doch auch das
könte so manches gegen sich haben.

Die Kampfgefährten der Hetvare im
Beóvulfliede sind nun die Hugas, letztere
weder in fränkischen Quellen als Volk erwähnt,
noch auch sonst angeführt. An der Hand
historischer Combination glauben wir durch das
Nachfolgende einiges Licht in die Sache bringen
zu können.

Im nordwestlichen Teile jener Gegenden
am Niderrhein, links vom Strome, in welchen

wir etwa im 5. oder 6. Jahrh. die Chattuarier vorfinden, wohnen eine geraume Zeit vorher die Gugerni, wie man jetzt fast überall geschrieben findet. Sie werden erwähnt von Tacitus als Bundesgenoszen des Civilis in dem denkwürdigen Aufstande der Bataver gegen Rom Hist. IV, 26; V, 16. 18. In der ersten Stelle lernen wir ihre Wohnsitze kennen: additus Voculae in partem curarum Herennius Gallus legatus; nec ausi ad hostem pergere .....[1] (loco Gelduba nomen est) castra fecere. Und weiter: utque praeda ad virtutem accenderetur, in proximos Gugernorum pagos, qui societatem Civilis acceperant, ductus Voculae exercitus. Also Gelduba[2] (das heutige Dorf Gelb in der Nähe von Ürdingen a. Rh.) befindet sich an der südlichen Grenze des Gugernergebietes; im Norden stieszen sie an die Batavi, wie aus Plinius erhellt IV, 17: hinc Ubii, colonia Agrippinensis, Guberni, (so die edd.), Batavi et quos in insulis diximus Rheni. Sie bilden demnach auf dem linkseitigen Gebiete des Stromes das Mittelglied zwischen Batavern und Ubiern etwa von Ürdingen abwärts bis zur Teilung des Rheins bei Cleve,[3] da wo zu

[1] Hier hat eine Lücke angesetzt Wurm, Philol. IX, 103 und nach ihm auch Halm, Heraeus u. a.

[2] Ueber Gelduba vgl. A. Rein, Jahrb. d. Ver. von Alt. Fr. i. Rh. XX, p. 1 ff.

[3] Ueber den Wechsel der Rheinläufe in jenen Gegenden hat zuerst eingehend gehandelt und das endgültige darüber festgestellt

Caesars Zeit vor der Ankunft der Usipeten und Tencterer zum Teil Menapier [1]) und Eburonen hausten. Nach der totalen Vernichtung der letzteren durch Caesar und der Vertreibung der Menapier aus jenen Gegenden durch die transrhenanischen Usipier und Tencterer hören wir im Grunde nichts von hier eingeseszenen Völkerstämmen bis zu den Zeiten des batavischen Aufstandes, wo die pagi Gugernorum in jenen Gegenden sich befinden. Es hat nun seit längerer Zeit, und nicht ohne Berechtigung, wie wir gleich sehen werden, eine Ansicht Platz gegriffen, deren Wahrscheinlichkeit auch durch Watterichs [2]) Gegendeclamationen noch nicht erschüttert ist. Wir haben bereits oben gehört, dasz die Sugambern durch die Treulosigkeit des Tiberius und Augustus teils vernichtet, teils versetzt worden sind, um diese gefürchtetsten und wach-

---

mein Vater A. Dederich, besonders in seiner Geschichte der Röm. u. d. Deutschen a. Niderrh. (1854) p. 1 ff. Vgl. dazu die Karte. Es hat nun Herr Prof. J. Schneider aus Düsseldorf in seinen neuen Beiträgen zur Gesch. u. Geogr. d. Niderrh. (Düsseld. 1860), mit Zugrundelegung der Forschungen u. der Karte Dederichs, auch eine Karte der unteren Rheinläufe entworfen, ohne weder hier, noch im Texte, wo er seinem früheren, ihm sehr wohl bekanten Collegen ebenfalls so oft gefolgt ist, auch nur dessen Namen zu nennen. Man vgl. das Vorwort zu Dederich's Feldz. d. Drus. Uebrigens wollen wir mit dieser einzigen Erwähnung von Herrn Schneider, obgleich er sehr stark in niderrheinischer Geschichte und besonders in Heerstraszen „macht“, Abschied nehmen.

[1]) Caes. B. G. IV, 4.
[2]) Die Germ. d. Rheins 209 f.

samsten Gegner Roms unschädlich zu machen.
Die Sache deutet an Tacitus Anm. XII, 39,
vgl. noch II, 26. Die wenigen auf dem rechten
Ufer übrig gebliebenen sind, wie oben bereits
vermutet worden, mit Chattuariern verschmolzen und haben dort unter diesem Namen
den erbitterten Rachekampf gegen Rom fort-
geführt. Nun lesen wir bei Suetonius Aug. 21:
Ubios et Sugambros dedentes se traduxit in
Galliam atque in proximis Rheno agris collocavit,
und Tib. 9: Germanico (bello Tiberius) quadra-
ginta milia dediticiorum traiecit in Galliam
iuxtaque ripam Rheni sedibus assignatis collocavit. [1] Halten wir neben diese und die unten
angeführten Stellen jene des Plinius u. Tacitus,
nach welcher die sog. Guberni oder Gugerni
im Süden an die Ubier stoszen, so bleibt uns
nichts anderes übrig, als mit vielen Forschern
diese Gugerni für die versetzten Sugambern,
oder doch mindestens für ein Mischvolk von
stark sugambrischem Blute zu halten. [2]
Wir bekommen also eine Gruppe: Sugambri,

---

[1] Vgl. auch Strabo VII. 1, 3. Eutropius, VII, 9.

[2] Dederich, Beitr. z. ältesten Gesch. d. clevischen Landes
zur Zeit der Römerherschaft und der Normannenfahrten. Emmerich Progr. 1860 p. 2 f. Diese Vermutung begegnet uns schon
bei Cellarius, Notitia orbis antiqui cet. Cantabrig. MDCCIII,
p. 213. Vgl. auszerdem Zeusz, Die Deutsch. u. d. N. p. 85.
Grimm, Gesch. d. deutsch. Spr. 367. von Sybel, Jahrb. d.
Ver. v. Alt. i. Rh. Heft IV, p. 19. Völker, Der Freiheitskampf
der Bataver unter Claudius Civilis. Elberfeld 1861—63 I, p. 32.
Waitz, Deutsche Verfaszungsgesch. I, p. 24.

Chattuarii, Gugerni, ineinandergefloszene Stämme,
mit den sich an sie anschlieszenden Chamavern
die Repräsentanten der chamavisch-sugambrischen
Völkerverbindung, des Frankenbundes.

Aber wir haben, ehe wir weitere Folgerungen ziehen, zunächst uns den Namen anzu-
sehen. In der oben angeführten Stelle des
Plinius finden wir den Namen Guberni, den
auch Zeusz beibehalten hat, und in einer Stelle
bei Tacitus, Hist. V, 16 bietet der cod. Med.
Cugerni. Mag bei Plinius ein Schreibfehler
angenommen werden, die Lesart aber in dem
Cod. Med. bei Tacitus scheint uns nicht so ganz
zufällig hineingeraten zu sein. Und Wesseling zum Itinerarium Antonini p. 273 bemerkt:
Moneamus Taciti MSS. Gugernos et Cugernos
edere, posterius antem verbum videri et Plinio
reddendum ob lapidem Edinburgensem qui —
„Coh. I. Cugernos" in Britannia Romana
lib. II. c. 3. p. 203 inscriptus est. [1]) Auf diese
Autorität hin setzte Sillig Cugerni in den
Text und ihm folgte nach Strack, [2]) während
Jani und Detlefsen in ihren kritischen Ausgaben die Lesart der Handschriften Guberni
festhalten. Nach meiner Ansicht nun ist die Lesart
Cugerni die allein richtige nicht sowol der
von Wesseling angeführten Gründe wegen, als

---

[1]) Vgl. Ukert, Gallia, Weimar 1832 p. 365. Germania,
Ebendas. 1843 p. 354. Müllenhoff, Haupt's Zeitschr. IX, p. 245.
[2]) in seiner Uebersetzung des Plinius Bremen 1854 f. 3 Teile

besonders weil es mir auf alle Wege klar geworden ist, dasz die Cugerni in genauem und engem Zusammenhang stehen mit den Hugas des Beóvulfliedes. Der letzte Wortteil, in dem wir die gotische Ableitungsilbe — airns [1] erkennen, ist als später abgeschliszen oder abgeworfen zu betrachten. Die Lautverschiebung wäre hier auf das genaueste durchgeführt, [2] und der erste Teil des Namens wäre nach Abwerfung der genanten Ableitungssilbe geblieben; im Inlaut ist, wie so häufig, das Lautverhältnis dasselbe geblieben. Eine Deutung des Namens hat von der Form Gugerni ausgehend Müllenhoff versucht; [3] wir laszen es als

---

[1] Dieselbe Endung finden wir in dem Namen der Bastarnae. Vgl. auszerdem got. viduvairna, $\delta\varrho\varphi\alpha\nu\delta\varsigma$, gebildet von viduvo, ahd. diorna, dierna, gebildet von diu, dëo, altn. þerna. Müllenhoff, Haupt's Z. IX, 245.

[2] Zwar ist die Durchführung dieser (zweiten) Lautverschiebung bei Völkernamen grade nicht Regel. Doch erscheint bei den mit (verschobener) gutturaler Aspirata beginnenden Namen häufig genug in den Handschriften noch die entspr. (ursprüngliche) Tenuis. So finden wir in Tacitus Germ. c. 29, 3 (vgl. die Ausg. v. Haupt-Müllenhoff) im Leidensis (b bei Müllenh.) cattorum (vgl. 30, 1; 31, 2 u. s. w.), im Vaticanus (B) c, ^{h}attorum; im Vat. C. dagegen chattorum. In der Notitia dignitatum (4. Jahrh.) bei Müllenh. Germ. p. 157 lesen wir in der Handschr. Cati, ferner Camari statt Chamavi, alsdann (ebendas. p. 158) Casuariorum st. Chasuariorum. Vgl. die oben (p. 161 Anm. 1) angeführte Stelle aus Ptolemaeus, der $K\alpha\sigma o\nu\dot\alpha\varrho\iota o\iota$ schreibt, während bei Tacitus Germ. 34, 2 einige Handschr. Chasuarii bieten, der Leidensis tasuarii. So mag in umgekehrter Weise häufig schon für Cugerni die Form Chugerni vorgekommen sein.

[3] a. a. O. Die Ableitung Grimms, von Gibigern, munificus,

unserer Sache wenig förderlich dahingestellt,
ob das lat. cogitare, got. hugjan, hugs, altn.
hugsa, hugr, ahd. huggan, hukkan, hugu, alts.
huggian, hugi, (freilich ags. hycgan, hiogan,
hogian), so dasz etwa die übertragene Bedeutung
des Mutes, der Tapferkeit unterzulegen wäre,
zu Grunde liegt. Mehr noch als die sprachlichen sind es die historischen Beziehungen, die
sich für die Identität der Hugas und Cugerni
erklären. Die Nachkommen der Sugambri,
die Cugerni, sind ja später wider ineinander-
gefloszen mit demjenigen Stamme, der aus dem
rechtsrheinischen Mutterlande, mit Sugambern-
blut gemischt, hinüberkam, den Chattuariern;
sie lieszen sich nider in dem von ihnen genanten
linksrhreinischen Gau, von welchem das ehe-
malige Gebiet der Cugerni einen Teil bildet.
Zwar sind die letzteren in den furchtbaren
Kämpfen der Kaiserzeit, die vorzüglich am
Niderrhein und in diesen Gegenden wüteten,
verschollen, und es sind nur dunkle Ueberlieferungen der deutsch-nordischen Sage, die uns
den Namen Hugen hinterlaszen und verewigt
haben. Hugen und Hetvare, Cugerner und
Chattuarier sind es, die alsdann fest zusammen-
stehen im Frankenbunde, und nachdem der Kern
des letzteren sich schon Gallien als Hauptfeld
seiner kühnen Heldenlaufbahn erkoren, sind sie

---

largus (Gesch. d. d. Spr. 368) ist von dem zuvor genanten
Gelehrten mit Recht zurückgewiesen worden.

es, die nordischen Seekönigen Widerstand leisten und sich im Kampfe gegen sie hervortuen: der Gautenkönig Chochilaich, der Hygelâc der Sage, erliegt ihnen im Kampfe: im Handgemenge mit Hugen und Hetvaren, so erkennen wir im Liede, fällt der Gautenkönig. Friesen, Franken, Merovinger, denen der Zug desselben eigentlich gilt, erscheinen mehr als allgemeine Völkerbezeichnungen, und es liegt im Gedichte mehrfach ausgesprochen und angedeutet, dasz Hugen und Hetvare als Bestandteile der Franken gedacht sind, während die Friesen eigentlich nicht als förmlich tätig im Kampfe aufgeführt, sondern auch als ein zu den Franken in ebenbürtigem Verhältnis stehendes Volk bezeichnet werden, und in unklarer Weise oft gradezu mit ihnen identificiert erscheinen (vgl. unten). [1]

[1] Grimm (Gesch. d. d. Spr. p. 468), Rieger (Haupt's Zeitschr. XI, 187) denken an die Chauci, ebenso Ettmüller (Beóv. p. 21), der sie auch für identisch hält mit den Hôcingas, Wanderersl. 29. Aber diese Erklärung stimt einesteils mit der Lautlehre nicht so ganz (Müllenhoff, Haupt's Z. VI, 437) anderesteils wäre es gradezu unmöglich, die an der Nordsee, östlich von den Friesen wohnenden Chauken mit den rheinisch-fränkischen Chattuariern in die enge Verbindung zu bringen, in welcher doch offenbar dem Gedichte nach die Hugen zu den letzteren stehen. Man will sich hier vielfach auf Beóv. 2501 ff. stützen, wo erzählt wird, dasz der Kämpfer der Hugen, Däghrefn (Tagrabe) von Beóvulf erschlagen wird und es weiter heiszt: keineswegs durfte er das Kleinod, den Brustzierrat, dem Friesenkönige zum Geschenke bringen. Aber man halte dagegen nur die übrigen Stellen über den Kampf und beachte unsere eben geännserten Bemerkungen über das Verhältnis der Friesen zu den Franken in unserem Gedichte, so wird man das Hinfällige

Die Spur der Hugen, als eines Hauptstammes der Franken ist übrigens noch weiterhin zu verfolgen. So heiszt es in dem Chronicon Quedlinburg. (Pertz, V, 31): olim omnes Franci Hugones vocabantur, a suo quodam duce Hugone. Und Widukind, I, 9 redet von einem Huga, rex Francorum, nach dessen Tode sein Sohn Thiadricus von den Franken erwählt sei.[1] Hier hätten wir die Hugen in schwacher Form und als Hauptbezeichnung der Franken. Ebendieselbe Quedlinburger Chronik unterscheidet auch genau zwischen dem ostgotischen Amelung Theodoricus und dem fränkischen Hugo Theodoricus, welcher letztere kein anderer ist als Dietrich von Metz, Chlodovech's Sohn, nach Lachmanns Vermutung der Hugdietrich der deutschen

---

jener Heranziehung erkennen. Und was würde wol bei einer solchen Auffaszung aus der durch Sage und geschichtliche Nachricht so verbürgten Darstellung der Richtung und des Locales des Geátenfeldzuges in den unteren Rheingegenden? Vielleicht ist auch mit Müllenhoff a. a. O. aus der Erwähnung des Hugenkämpen Däghrefn, der ja dem Friesenkönige diente und dessen Name einzig von der Sage erhalten ist (— von den Namen der fränkischen Könige erfahren wir nichts —), auf doppelten Kampf der Geáten zu schlieszen, einen glücklichen mit den Friesen, in dem Däghrefn erschlagen wird, und einen unglücklichen mit den Franken (vgl. oben). Die Sage hätte dann beide Kämpfe vermischt. Leo, Ueber Beóv. p. 10 f. glaubt den Namen der Hugen noch entdecken zu können in dem Dorfe Kuik, Kuuk a. d. Maas.

[1] Verwertung beider Stellen schon bei Müllenhoff, Haupt's Z. VI, 437. 441. Rieger, Ebendas. XI, 187 f.

Heldensage. ¹) Zusammenzuhängen mit diesem Namen scheint der Name Hûn, der im Wanderers-liede 33 als Herscher der Hätvere genant wird, ein neues Zeugnis aus der lebendigen Volkssage für den engen Zusammenhang der alten Cugerner, Chattuarier, Franken. Hûn ist das mdh. hiune, Riese: ein Held der Vorzeit, aus uraltem Geschlecht entsprossen. Dasz hier an die Hunnen nicht zu denken ist, leuchtet ein: das Hûn- in Namen ist bereits weit vor dem Auftreten der Hunnen in Europa und noch ehe Attila sie auf den Gipfel der Macht erhob, verbreitet. ²) Auch das Hûnaland der Edda-lieder ist wol nichts anderes als das Land der Hugones Franci; der Wegfall des Conso-nanten ist sprachlich zu rechtfertigen (Müllenh. H. Z. VI, 437). Wir lernen somit aus An-deutungen der angelsächsischen und nordischen Sage die hohe Bedeutung und Stellung der Chattuarier (und mit ihnen der Cugerner) inner-halb des Frankenbundes kennen; sie, die Nach-kommen der alten Sugambern, kenzeichnen sich als Hauptglieder desselben. Beide Namen sind

---

¹) Vgl. W. Grimm, Heldensage p. 33. Müllenhoff a. a. O. p. 442 ff.

²) Vgl. Müllenhoff, Haupt's Zeitschr. XI, p. 284, welcher deren verschiedene anführt. Auch in unserem Liede begegnet er uns: Hûnferð, der Sohn des Ecgláf ist der Sprecher (Þyle) Hróðgârs 499 f. 530. 1165. 1488. und Hûnlâfing ist ein Krieger der Eotenas (nicht der Jüten), der den Hengest erschlägt 1143.

in der späteren Geschichte untergegangen und
nur der Name eines Gaues erinnert noch an die
alten Chattuarier (vgl. oben). —

Friesen und Franken werden in der Sage
fast als eines Stammes angeführt und zumeist
läszt es sich nicht unterscheiden, ob Franken
den Friesen, oder umgekehrt die letzteren den
ersteren untergeordnet sind. Aber dasz auch
diese beiden Namen so enge verknüpft erscheinen,
hat ebenfalls historischen Grund und Boden,
und wir schicken uns an, die Schicksale des
Stammes der Friesen bis zum vollständigen Auf-
gehen in den Frankenbund vorzuführen.

Zunächst ist zu bemerken, dasz unser Lied
genau unterscheidet zwischen den sogen. Nordfriesen, d. h. dem Urstamvolk an der Nordseeküste, den Bewohnern der schleswigschen Westküste und der Nordseeinseln, und den Westfriesen, d. i. den eigentlichen Friesen zwischen
Rhein und Ems. Der König der ersteren ist
Finn (1068 ff.), der Held einer bedeutenden
Episode in unserem Liede, die wir für sich noch
behandeln werden; ihr Land heiszt auch 1126
Frysland, das Land der fränkischen Friesen
dagegen Fresnaland v. 2916; auch Frésland
2357. So sind auch im Wanderersliede beide
genau unterschieden, von den ersteren heiszt
es v. 27:

Fin Folcvalding [veóld] Fresna cynne,
die letzteren werden 68 direkt mit den Franken

in Verbindung gebracht: mid Froncum ic vaes
and mid Frysum and mid Fruntingum, Die
Nordfriesen scheinen auch durchgängig
gemeint in der Kudrûn, sie sind dort Irolt
zugeteilt (vgl. 281, 4), dem ja auch die Holzsaezen (Holsteiner) untergeben sind 1374, 2:

> er bringet vil der Friesen, als ich mich
>   kan versehen
> und euch der Holzsaezen. [1]

Die ersteren erscheinen aber auch unter
Môrunc's Führung 271, 1. 781, 1., der Herr
von Niflant ist (vgl. oben p. 50), aber in
unechten Stellen, so wie die Holzsaezen unter
Führung Frute's von Tenemarken 1415, 1.
Die Gebiete dieser Helden, besonders der beiden
ersteren verschwimmen somit meistens inein-
ander. [2] Diese Nordfriesen laszen wir einstweilen auszer Acht, und halten uns an die
eigentlichen Friesen an der Nordseeküste
zwischen Rhein und Ems.

Ihre Wohnsitze werden von Plinius N. H.
IV, 15 und Tacitus Germ. 34 genügsam bezeichnet. Der erstere nent nach den Batavi
und Caninefates die Frisii, Chauci,
Frisiavones; Tacitus unterscheidet Frisios

---

[1] Vgl. R. Schröder, Zeitschr. f. d. Philol. I, p. 263 f.,
der hier auch zwischen den Friesen des Irolt, d. i. den Nordfriesen,
und denen des Môrunc d. i. den Westfriesen unterscheiden will;
der letztere ist ja auch Herr von Wâleis, dem Lande an der
Waal.

[2] Vgl. E. Martin zur Kudrûn (1872) zu 208, 1. 1089, 1.

maiores und minores und sagt von beiden: utraeque nationes usque ad Oceanum Rheno praetexuntur ambiuntque immensos insuper lacus et Romanis classibus navigatos. Sie sind also, und zwar im Süden, vom Rheine besäumt, und ihre Wohnsitze erstrecken sich über die Landstrecken um den jetzigen Zuydersee [1]) bis zum heutigen Ostfriesland. [2]) Die Scheidung zwischen Frisii maiores und minores tritt in der späteren Geschichte nicht mehr genügend hervor, vielleicht decken sich die letzteren mit den Frisiavones des Plinius. [3]) Und grade in diesen glaube ich mit Sicherheit die Nordfriesen, die Bewohner der schleswigschen Westküste und der Nordseeinseln vermuten zu können: der Schriftsteller bringt sie ja richtig nach den Chauken, deren Wohnsitze bis zur Elbmündurg reichen. Alsdann aber hängt der letzte Teil des Wortes — aviones unzweifelhaft zusammen mit ahd. ouwa, Waszer, Waszerland, also: Waszerfriesen, Seefriesen. Der friesische Stamm, der also hier in unsere Discussion hineingehört, sind die Frisii des Plinius, die Frisii maiores des Tacitus. Sie treten zuerst in der Geschichte auf zur Zeit der ersten

---

[1]) Denn alle von Tac. genanten Seen, unter denen uns besonders der lacus Flevo namhaft gemacht wird, vereinigten sich später zum Zuydersee.

[2]) Dieses ist schon zum Gebiete der Chauken zu rechnen. Grimm, Gesch. d. d. Spr. 471.

[3]) Grimm, Gesch. d. d. Spr. 466. Zeusz; 137 f.

Nordseeexpedition des Drusus, zu welcher
der römische Feldherr der Freundschaft und
der Hülfe der Friesen und anderer Nordsee-
völker bedurfte. Er legte ihnen einen Tribut
auf (Dio Cassius LIV, 32) und glaubte sich so
ihrer versichert zu haben.[1]) Aber das freund-
schaftliche Verhältnis währte nicht lange. Durch
die Habsucht römischer Proprätoren, besonders
des Olennius, aufgereizt, empörten sie sich
offen (28 n. Chr.), vertrieben die Römer und
belagerten den Olennius im Castell Flevum am
Dollart. Ein anderer Praetor, L. Apronius
zog gegen sie, wurde aber geschlagen; auszerdem
wurden im Haine der Baduhenna von ihnen
900 Römer nidergemacht, 400 entleibten sich
selbst.[2]) Seit dieser Zeit sehen wir sie in den
Reihen der erbittertsten Feinde Roms. Zwar
bezwang sie Corbulo wider, und dieser ener-
gische Feldherr schickte sich eben an, sie gänzlich
zu demütigen, als der Kaiser Claudius plötzlich den Befehl gab, die römischen Besatzungen
über den Rhein zurückzuziehen und jede Gewalt-
tätigkeit gegen die Germanen einzustellen.[3])
Als die Friesen nunmehr in den durch diese
kaiserliche Maszregel offen stehenden fruchtbaren

---

[1]) Zeusz, Die Deutschen u. s. w. p. 137. Dederich, Feldz.
d. Drus. p. 48 f.

[2]) Tac. An. IV, 72—74. Dederich, Frankenb. p. 24.

[3]) Tac. An. XI, 19. Dio Cass. LX, 30. Zeusz, p. 137.
Dederich, Frankenb. 25.

Rheinuferstrich einbrachen, wurden sie von
Dubius Avitus mit Waffengewalt im Jahre 59
wider vertrieben (Tac. An. XIII, 54). Im
batavischen Kriege finden wir sie widerum als
Gegner der Römer auf Seiten des Claudius
Civilis [1] Längere Zeit hindurch hört man
nichts von ihnen bis etwa 186 n. Chr., in
welchem Jahre Clodius Albinus sich durch
ihre Besiegung einen groszen Namen macht. [2]
Bis um die Mitte des 3. Jahrhunderts, wo der
Frankenbund Boden gewint, scheint kein Vorstosz einzelner germanischer Stämme am Nider-
rhein gegen die Römer unternommen worden
zu sein; die Glieder sammeln sich zum Frankenbunde, um mit vereinten Kräften desto wirk-
samer gegen den morschen Koloss anstürmen
zu können. Den Reigen eröffnen die suevischen
Franken, und bedeutend und blutig sind ihre
Kämpfe um Moguntiacum. Aber auch die niderrheinischen Franken verharren nicht lange in
lässziger Ruhe. Seit Valerian und Gallienus
scheint, wie an anderen Grenzen des römischen
Reiches, so auch am ganzen Mittel- und Nider-
rhein ein gemeinsamer Vorstosz der vereinigten

[1] Tac. Histor. IV, 79. V, 19.

[2] Nach einer verdorbenen Stelle bei Julius Capitolinus (Clod.
Alb. c. 6), vgl. Zeusz, d. D. u. s. w. p. 400. Dederich,
Frankenb. 35 f. Auf der Peutingerschen Tafel und im Itinerarium
Antonini finden wir auch zwischen Leyden und Utrecht Castra
Albiniana verzeichnet; der Name ist erhalten in dem des Dorfes
Alphen.

Frankenstämme unternommen worden zu sein;[1] ein Vorwärts- und Zurückdrängen begint, und tapfere Kaiser, wie Probus u. a. laszen noch einmal die Franken die schwere Römerhand fühlen. Da begegnet uns denn in diesen und den nachfolgenden Kämpfen noch einmal der Name der Friesen. Constantius Chlorus, der 292 zum Caesar erhoben wurde, überfiel mehrere fränkische Stämme auf der Insel Batavia und richtete unter ihnen ein groszes Blutbad an: „Tausende wurden getötet, vertrieben, gefangen fortgeschleppt und mit Weib und Kind in öde Gegenden Galliens verpflanzt, und zwar in die Länder der Ambianer, Bellovaker, Tricassiner und Lingonen; und von diesen Heldentaten bekam Constantius den Beinamen Francicus" (Dederich). Unter diesen Versetzten begegnen uns vorzugsweise Chamaver und Friesen.[2] So hatten sich also um diese Zeit bereits die Friesen an den Frankenbund angeschloszen und sind bei ihm verblieben. Wenn nun in der späteren fränkischen Geschichte von Kämpfen der fränkischen Könige gegen die Friesen die Rede ist, so hat man sich unter den letzteren den nach dem Uebergang der Franken über den Rhein und ihre Niderlaszung

---

[1] Vgl. über diese Kämpfe Dederich, Frankenb. p. 94 ff., bei dem auch die betreffenden Stellen verzeichnet sind.

[2] Vgl. die bei Dederich, Frankenb. p. 105 Anm. 2 angeführten Stellen.

in Belgien und dem nördlichen Gallien zurück-
gebliebenen, in Westfriesland ureingeses3enen
Teil des Volkes zu denken, der sich besonders
nach dem Uebertritt der Franken zum Christen-
tume von denselben gänzlich entfremdet fühlen
muste und gegen sie wie gegen eine fremde
Macht die Waffen kehrte.

Und diese fränkischen Friesen im Norden
der batavischen Insel und in Nordholland erscheinen in unserem Beóvulfliede; Franken und
Friesen, Chattuarier und Cugerner, welche
letzteren den ersteren stets untergeordnet erscheinen, es sind alles Bezeichnungen der niderrheinischen Franken, deren einzelne Stammes-
namen noch im Gedächtnisse des Volksdichters
haften geblieben sind.

Es läszt sich aus der angelsächsischen
Namensform der Friesen auch eine Deutung
des Volksnamens herleiten. Bei den Römern
heiszen sie Frisii, Ptolemaeus schreibt Φρίσσιοι,
Procop schwach Φρίσσωνες, Dio Cassius Φρείσιοι;
mittellat. finden wir Fresones (Beda) Frisones,
Frisiones. Im ags. erscheint der Name gewöhnlich schwach: die Dativform Frysum paszt ja
sowol zu einem Nom. pl. Frysan als Frysas.
Ahd. u. mhd. lautet der Name vermittelst einer
schwer zu erklärenden Vocalbrechung Frieson,
Vriesen; durch die lateinische, griechische und
ags. Schreibung erscheint doch die Kürze des i

genugsam beglaubigt. Grimm[1] will den
Namen ableiten vom got. freis, frijis liber,
Zeusz[2] denkt wegen des Schwankens des i
und ei im Namen an ein starkes wurzelhaftes
freisau, frais, frisun zu got. fraisan tentare,
ahd. freisa periculum, alts. frêsa, aber ags. frâsa;
richtiger ist es, mit Ettmüller[3] auf das
Angels. zurückzugehen und den Namen Frisa,
Fresa mit dem Adj. frise crispus, comatus
zusammenzubringen, so dasz sie die criniti,
comati wären, eine Deutung, die besonders
lautlich sehr anspricht.

Noch ist eine Gesamtbezeichnung aller
dieser niderrheinischen Völker, die von Hygelâc
heimgesucht werden, zu erörtern. Bei der Leiche
Beóvulfs klagen die Mannen um den Tod des
Helden und schauen, umgarnt von feindlichen
Volkstämmen, die auf eine passende Gelegenheit
lauern, sich für frühere Unbilden zu rächen,
düster in die Zukunft: die Franken und die
Friesen, Hugen und Hetvare werden losbrechen,
sobald ihnen der Tod des Königs bekant sein
wird. Alsdann wird, nachdem der Dichter den
Ursprung des Streites zwischen Geáten einerseits, Franken, Friesen, Hugen und Hetvaren
andererseits, kurz angeführt, geschloszen 2920 f.:

---

[1] Gesch. d. d. Spr. 465.

[2] Die Deutschen u. s. w. p. 136.

[3] im ags. Wörterb. v. (nach Schweizer-Sidler Anm. zu
Tac. Germ. 84.)

us väs â. syððan

Merevîoinga milts ungyfede.

Er faszt also die vorhergenanten Stämme unter
dem Namen Merovinger — denn die sind
gemeint — noch einmal zusammen. Die Handschr.
bietet Mere vioingas; Kemble setzte zuerst die
volle Form Merevioingas in den Text, bemerkt aber als Verbeszerung: Merevicinga,
Seekrieger. Ettmüller verwarf diese Coniectur
mit Recht, gieng aber auffallender Weise wider
auf die Lesart der Handschr. zurück und dachte
an einen Volksnamen Vioingas, gleich den
im Wandersliede v. 30 genanten Vôingas.
Mit Recht wies bereits auf die Merovinger
hin Müllenhoff. [1]) Nach ihm scheint nun
besonders Jos. Bachlechner [2]) die Sache
vollends entschieden zu haben, und alle neueren
Herausgeber sind ihm gefolgt. Die Bildung des
Namens ist im ganzen eine richtige: der fränkische Name Merovîg lautet in nördlichen
Dialecten Angelsachsens Merevio, wie Ans-
wîg, Oswio; [3]) und von diesem Mannsnamen
Merevio bildete man richtig Merevîoingas.
Es ist also im Ags. die richtige Namensform
zu Grunde gelegt Merovig; in den fränkischen
Quellen finden wir den Eigennamen immer

---

[1]) Nordalbing. Studien I, 158. Haupt's Zeitschr. VI, 481,
vgl. IX, 247.

[2]) Ebendas. VII, p. 524 ff.

[3]) Vgl. die Nachweisungen Bachlechners a. a. O. 526.

geschrieben Merovecus, Merovicus, Merovēch, Meroveus, Meriwih, Mervig. [1]) Die Namen Meroving, Merving u. s. w. sind daraus entstanden, „dasz man aus dem Geschlechtsnamen Merovingi fälschlich auf einen Stammvater Meroving zurückgeschloszen hat." (Förstem.) Der Eponymus der Merovinge wird im Gegenteil etwa Mēru (Mēro) gen. Merwes (Meruwes, Merowes) gelautet haben, und es ist hier auf jeden Fall an mythische Beziehungen zu denken; unbestreitbar hängt er zusammen mit dem Flusznamen der Merwe, [2]) der vereinigten Waal und Maas etwa von Gorkum bis Dortrecht und weiter bis zur Vereinigung mit der Leck.

Es wurde oben erwähnt, dasz sich hinter diesem Namen Merevîoingas auch vermutlich die beiden in dem Gedichte nicht genanten Merovinger Theudebert und Theodorich verstecken. Wie von Scyld, dem Ahnherrn der Dänenkönige, nicht allein diese selbst Scyldinge heiszen, sondern dieser Name sich auch auf das ganze Volk ausdehnt, so sind auch in dem Namen der Merevioinger sowol das gesamte Volk der Franken, als auch die Fürsten aus dem Geschlecht der Merowinger bezeichnet. Den Namen þeódrîc [3]) erwähnt unser Dichter

---

[1]) Vgl. Förstemann, Altd. Namenb. I, p. 911 f.

[2]) Vgl. Leo, Universalgesch. II, 28. Müllenhoff, Haupt's Zeitschr. VII, 438.

[3]) d. i. Dietrich von Metz, Chlodovechs Sohn, der Hugdietrich (Hugo Theodoricus) der deutschen Heldensage, vgl. oben p. 182 f.

nicht, aber er hat ihn wol als bekant vorausgesetzt; aufgeführt wird er im Wanderersliede an 2 Stellen:

24. Þeódrîc veóld Froncum; Þýle Rondingum

115. Seccan sôhte ic and Beccan, Seafolan and Dheódrîc;

ferner in Deor's Klage 18, ein Beweis für die Verbreitung der Sage über den fränkischen Dietrich bei den nordischen Völkern. Der Fall des Hygelâc wird bei letzteren einen bedeutenden Eindruck gemacht haben, und bekantlich erhielt die Tatsache selbst sowie die Sage vom Tode des Hygelâc sich nicht allein bei den nordischen Völkern, sondern auch denen des Niderrheins noch lange. [1]) Weniger bekant und sagenberühmt ist sein Sohn Theudebert, der nach den fränkischen Quellen auf Befehl des Vaters mit einem Heere den Geátenkönig überfällt und tötet. Von den 3 von der Sage genanten Helden Hygelâc, Beóvulf, Dághrefn, entziehen sich die beiden letzteren jeder historischen Kunde. Zu dem oben angeführten ist noch zu ergänzen, dasz einmal der Personenname Hugilaih [2]) begegnet, ferner Hugileih, unzweifelhaft derselbe Name. Dasz der erste Teil des Wortes mit ahd. hugu Geist zusammenhängt, kann nicht

---

[1]) Vgl. die oben nach Haupt u. Müllenhoff (Zeitschr. V, 2. XII, 287) citierte Nachricht de Hungglánco Magno.

[2]) bei Förstemann, Altd. Namenb. I, p. 754.

zweifelhaft sein, was der letzte Teil — laih, laic bedeutet, darüber läszt sich nichts sicheres vermuten. [1]) Ueber den Beóvulf und seinen Namen vgl. oben I, Cap. 2. Däghrefn (Tagrabe), nach dem Gedicht mutmaszlich der Mörder des Hrœðlâc, entzieht sich auch jeder historischen Kunde. Dasz der Name Dag, Tag, als Namenaus- und einlaut häufig ist, beweist Förstemann a. a. O. p. 325. Ob dieses Dag in Eigenn. vielleicht Helle, Glanz, Schönheit bedeute, frägt Grimm, Gram. II, 451. Sicheres ist hierüber nicht zu finden. —

[1]) Förstemann a. a. O. p. 824 denkt an got. laikan ludere, ahd. leih, carmen, versus (?)

Cap. 2.

Die Episoden von Offa (Beóv. 1932—1962), von Heremôd (901—915; 1709—1722) und vom Ueberfall in Finnsburg (1068—1159).

Der Geátenheld Beóvulf hat von Hróðgâr Abschied genommen. Reich beschenkt, der Dänenkönig die Helden und wünscht ihnen gute Fahrt; zuletzt umarmt der greise Held noch Beóvulf, den besten Degen, und der letztere schreitet schätzebeladen mit den Mannen dem Strande zu. Vom Küstenwarte bewillkomt, beladen sie das Schiff mit den Schätzen und steuern dem Geátenlande zu. Bald dringt das Schiff aufwärts an's Gestade, und der Hafenwart der Geáten feszelt mit Ankerseilen dasselbe am Strande; die Schätze liesz er zum Ufer bringen, denn nicht hatte er weit mehr zu Hygelâc, Hrêðels Sohn, der nah am Ufer seine Burg bewohnte. Da hauste der König in hoher Halle und neben ihm Hygd, seine Gattin, noch jung, weise und hochsinnig, obgleich sie erst wenige Jahre im Schutze der Burg geweilt; sie warte aber doch den Geáten gegenüber ihre Würde, und kargte nicht vor dem Volke mit reichen Spenden. Alsdann folgt eine von dem sagenkundigen Interpolator B. eingeschobene Episode:

>   Môd þryðo [1]) väg
> fremu folces cvên firen ondrysne;
> naenig þät dorste deór genêðan,
> svaesra gesîða nefne sinfreá,
> 1935 þe hire an däges eágum starede,
> ac him välbende veotode tealde
> handgevriðene: hraðe seoððan väs
> äfter mundgripe mêce geþingéd,
> þät hit sceádenmael scŷran môste,
> 1940 cvealmbealu cŷðan. Ne bið svylc cvênlic
>   þeáv
> idese tô efnanne, peáh þe hió aenlîcu sŷ,
> þätte freoðuvebbe feores onsäce
> äfter ligetorne leófne mannan!
> Hûru þät Hemninges maeg onhohsnode [2])
> 1945 ealodrincende ôðer saedan,
> þät hió leódbealeva läs gefremede
> invitnîða, syððan aerest vearð
> gyfen goldhroden geongum cempan
> äðelum dióre, syððan hió Offan flet
> 1950 ofer fealone flôd be fäder lâre
> sîðê gesôhte, þär hió syððan vel

---

[1]) So zu lesen mit Müllenhoff, Haupt's Zeitschr. XIV, 216, vgl. Rieger, Zeitschr. f. d. Phil. III, p. 402. Heyne, in der 3. Aufl. s. Beóv. (vgl. die Anm. p. 97.) Grein liest noch mit den übrigen älteren Herausgebern Môdþryðo.

[2]) So zu lesen nach Dietrich, Haupt's Z. XI, 413 ff, und Heyne.

in gumstôle gôde maere

lifgesceafta lifgende breác,

hióld heáhlufan við häleða brego

1955 ealles moncynnes mîne gefraege

þone [1]) sêlestan bî saem tveónum

eormencynnes; for þam Offa väs

geofum and gûðum gârcêne man

vîde geveorðod, vîsdôme heóld

1960 êðel sînne: þonon Eómaer [2]) vêc

häledum tô helpe, Heminges maeg,

nefa Gârmundes nîða cräftig.

„Thrydo trug in sich Hochmut, die kühne [3]) Herrin des Volkes, furchtbare Arglist: [4]) kein Tapferer unter den lieben Mannen wagte das zu unternehmen [nämlich sie anzublicken]; auszer ihrem Eheherrn, der tags auf sie mit den Augen schaute; sondern dem bestimte sie Todesfeszeln, legte sie ihm auf, mit den Händen geflochtene: rasch war dann nach dem Handgriffe [der

---

[1]) So nach Thorpe, vgl. Bugge, Z. f. d. Ph. p. 208 f. Edd. päs sêl, auf moncynnes bezüglich.

[2]) So Bachlechner in Pfeiffers Germania I, 298 und Heyne.

[3]) So wol richtig nach Bugge; Zeitschr. f. d. Phil. IV, p. 206 f. Es wäre alsdan fremu unregelmäszige Schreibung statt framu, von fram, from, welches strenuus, fortis bedeutet. Rieger, a. a. O. III, p. 403 faszt es auf als zusammenhängend mit got. framjis, so dasz freme ein älteres und einfacher gebildetes Synonymum von fremede, fremde, got. framaþis, wäre (wol mit Rücksicht auf die Abkunft der þryde? vgl. unten).

[4]) môð ist gegeben nach Müllenhoff a. a. O. firen ondrysne soll nach Rieger a. a. O. statt firenum ondrysne (dat. pl. als adv.) stehen, so dasz der Sinn wäre: animum habebat valde terribilem.

Schergen, die die Fesseln anlegen ¹)] das Schwert
bestimt, so dasz es das verderbenbringende
[Schwert] austragen muste, das Mordunheil ver-
kündigen. Solches ist nicht weibliche Sitte,
von einer Frau nicht auszuüben, wenn sie auch
einzig [schön] ist, dasz sie, die Friedensweberin
des Lebens beraube einen lieben Mann wegen
erlogener Kränkung. ²) Fürwahr ihr vertrieb ³)
das Hemnings Blutsverwandter [Offa] und beim
Biergelage erzählten sich andere, dasz sie der
Untaten weniger verübte, arglistiger Feindseligkeiten, seit sie erst ward gegeben goldgeschmückt
dem jungen Kämpfer, edel an Abstammung, ⁴)
als sie Offa's Halle über die falbe Flut nach
des Vaters Weisung auf der Reise aufsuchte;
da genosz sie seitdem wol auf dem Herscherstul,
die spendenberühmte, ihres Lebensschicksals zu
ihren Lebzeiten, hielt in hoher Liebe zu dem
Fürsten der Helden, dem glücklichsten ⁵) von
allen Menschen, so viel ich weisz, bei den beiden
Seen, in dem Menschengeschlechte, denn Offa

---

¹) So ist die Stelle zu deuten nach Bugge a. a. O. p. 207.

²) Vgl. Bugge, a. a. O. p. 208 aefter ligetorne: „weg. erlog.
Kränkung, d. h. um etwas zu strafen, das, obgleich es eine
Kränkung genent wird, nicht eine wirkliche Kränkung ist." äfter
ligetorne, vor lodendem Zorn Heyne.

³) Dafür bietet Grein on hôh snôd (v. snadan) mit demselben Sinne (restrinxit).

⁴) äðelum diôre, wol auf Thrydo bezüglich.

⁵) So, þone musz gelesen werden (vgl. oben), auf Offa
bezüglich; der folgende Satz for þâm begründet diesz þone sêlestan
natürlich für Offa: Offa war der glückliche, denn er war berühmt
durch Tapferkeit und Freigebigkeit.

war in Gaben und Kämpfen ein speerkühner Mann, weit gepriesen; in Weisheit regierte er sein Erbland: von ihm entsprosz Eómaer, den Helden zum Schutze, der Verwante Hemings, der Neffe Gârmunds, kühn im Streite."

Die Auffaszung dieser ganzen Stelle war bis auf die neueste Zeit eine durchaus schiefe. Zunächst haben die früheren Herausgeber und Erklärer geglaubt, es sei hier nur von einer Frau, nämlich der vorher genanten Hygd, der Gemahlin des Hygelâc, die Rede; und H. Leo [1] behauptete, dasz diese Hygd nach ihres Gemahls Hygelâc Fälle durch die Hugen und Hetvare, Offa's Gemahlin geworden sei. Daran schlosz sich seine Vermutung, dasz jener sagenhafte König, nicht, wie Kemble wolte, ein Vorfahre Hrêðels im Geátenreiche, sondern ein jüngerer Zeitgenosze Hygelâcs, etwa aus einer Nebenlinie entstamt, und Fürst in einem anderen Geáten-fürstentume gewesen sei. Und ihm ist diese gänzlich unbegründete Behauptung von den meisten folgenden Erklärern und Herausgebern, auch von Thorpe und Bouterwek [2] nach-gesprochen worden. Erst die tüchtigen For-schungen von Grein [3] und Müllenhoff [4]

---

[1] Ueber Beóvulf u. s. w. p. 13. 14. 52. 62.

[2] Haupt's Zeitschr. XI, 63.

[3] in: Die historischen Verhältnisse des Beóvulfliedes in Ebert's Jahrbuch für rom. u. engl. Literatur. 1862. IV, p. 279 ff. (Vgl. Heyne, Beóvulf p. 97 f.)

[4] Haupt's Zeitschr. f. d. A. XIV (N. F. II) p. 216.

haben Licht in die Sache gebracht. Es hat
zunächst gar nichts auffälliges, dasz der Nachdichter plötzlich von der Hygd auf eine andere
überspringt; er will uns gräde durch die Wirkung
des Gegensatzes zwischen den beiden Frauen
die Tugenden der Hygd desto bedeutsamer
hervorheben. Aehnlich und ebenso unvermittelt
geht der Nachdichter v. 901 ff. plötzlich, nachdem von den Taten und dem Ruhme Sieg-
munds des Vaelsung die Rede gewesen, zu
der Darstellung von dem unrühmlichen Leben
und Endeschicksale des Heremôd über, natürlich auch, um den Ruhm des Siegmund in einem
desto helleren Lichte erglänzen zu laszen. Noch
mehr gegen obige Auffaszung sind die von
Greit u. a. gelieferten geschichtlichen Nachweisungen. Es ist zunächst die Persönlichkeit
dieses Offa festzustellen. Nach dem Wanderersliede ist dieser Offa König der Angeln, in
einer Stelle, die bereits oben berührt worden
35 ff.:

    Offa veóld Ongle, Alevih Denum
    se väs þara manna môd gâst ealra.
    Nô hvaepre he ofer Offan eorlscype fremede:
    þe Offa geslôg aerest monna
    cniht vesende cynerîca maest;
    naenig efeneald him eorlscipe mâran
    on orette âne sveorde:
    merce gemaerde við Myrgingum

bi Fîfeldore, heóldon forð siþþan
Engle and Svaefe, sva hit Offa geslôg.
Darauf folgt im Liede, ohne Verbindung und
ohne jegliche nähere Bestimmung die bekante
oben bereits berührte Stelle über Hrôðvulf und
Hrôðgâr. Zu bemerken ist, dasz an keiner
andern Stelle im ganzen Liede ausführlichere
Notizen gegeben werden, ein Beweis, dasz der
Sänger sich auf dem engeren Gebiete der heimischen Sage bewegt, dasz er den Hörern bekantes
vorträgt. [1]

Es heiszt also mit Bezug auf unseren Offa,
dasz sein Gegner, der Dänenkönig Alevih
(— uns weiter nicht bekant —) der mutigste
aller Männer war, doch nicht über Offa Mannheit
übte; „sondern Offa gewann (durch Schlagen)
zuerst unter den Menschen, als junger Mann,
die meisten Königreiche; kein ebenalter erkämpfte
sich gröszere Herschaft nur mit dem Schwerte;
er bestimte die Grenze gegen die Myrgingen
an dem Fîfeldor, diese behaupteten hinfort
die Angeln und Schwaben, so wie sie Offa
festsetzte. Wir haben oben (I Cap. 1) bereits
über diese Stelle gehandelt: Fifeldor ist, wie
wir dort gesehen haben, die Eider, und wir
befinden uns im Lande der alten Angeln, in
Nordschleswig, wo auch ihr Name für den
District zwischen der Schley und Flensburg

---

[1] Vgl. auch Müllenhoff, Haupt's Z. XI, 284 f.

haften geblieben ist. [1]) Was nun den eben
geschilderten Kampf betrifft, so übenliefert uns
Saxo Grammaticus etwas durchaus ähnliches
von einem Dänenkönig Uffo, Vermundi
filius (l. IV p. 177 sqq. ed. Müll.). Vermund,
in dem wir mit Leichtigkeit Gârmund [2]) widererkennen, ist in seinem Alter schwach und blind
geworden, und ein Sachsenkönig bedroht ihn
und fordert sein Land; da erhebt sich für ihn
sein bis dahin stummer Sohn und schützt die
väterliche Herschaft durch einen doppelten
Zweikampf mit zwei Sachsen auf einer Insel der
Eider. [3]) Dieselbe Erzählung finden wir bei
dem Mönch Matthaeus Parisiensis aus dem 13.
Jahrhundert. [4]) Bei ihm heiszt der Vater
Warmundus, und es ist bei ihm Offa blind
von Geburt bis zum 7., stumm bis zum 30. Lebens-
jahre. Das ist unbedingt der ältere Offa,
den Saxo Dänenkönig, das Wandererslied

---

[1]) Tacitus (Germ 40) führt sie nach den Langobarden in der
Gesellschaft mehrerer kleiner Völker an: Reudigni, Aviones,
Anglii, Varini, Eudoses Suardones, Nuithones. Die von Ptolemaeus (III, 11, 15) im Westen der Mittelelbe erwähnten Ἄγγειλοι
haben mit unseren Angeln wol nichts zu schaffen.

[2]) Leo, Ueb. Beóv. 51 hält Gârmund für den Groszvater des
Offa, und Heming für den Vater desselben. Offenbar ist der
Ausdruck Heminges maeg teils auf Offa (1844), teils auf dessen
Sohn Eómaer (1961) zu beziehen.

[3]) Leo a. a. O. Bekantlich liegt diese Erzählung der schönen
Romanze Uhland's „Der blinde König“ zu Grunde.

[4]) Vgl. Saxonis Gram. Hist. Dan. rec. P. E. Müller. Pars
post. (Proleg. et not. aberiotes cont.) Havniae 1858 p. 138 ff.
Grein, Eberts Jahrh. n. s. w. 289.

Angelnkönig nent, wol zu unterscheiden von einem jüngeren Offa (nach Matthaeus Sohn des Grafen Tuinfredus, nach der angelsächsischen Stamtafel der Sohn des Thingferð), dem Zeitgenoszen Karls des Groszen, der 755 den Königsthron von Mercia usurpierte.[1] Unter den Ahnen des letzteren erscheint denn auch in der eben erwähnten ags. Stamtafel von Thingferð an aufwärts als Vorfahr jener Offa I, Värmunds Sohn; ihm folgt daselbst Angelþeóv, und diesem Eómaer, welcher letztere, da die Sage wol von Angenþeóv nichts zu sagen wuste, in unserem Liede direct als der Sohn Offa's bezeichnet wird.

Aus den vorhandenen angelsächsischen Genealogien bildet sich nun Thorpe folgende Stamtafel der Könige von Angeln und von Mercia: Wôden, Wihtlaeg, Wermund (Gârmund), Offa I, Angelþeóv, Eómaer, Icel, Knebba, Cynewald, Creoda († in England 539), Wybba, Eáva († 642), Osmôd, Eánwulf, Thingferð, Offa II (Gemahlin Cyneðruð † 796). Natürlich sind die ersteren, noch etwas über Eómaer hinaus, noch Könige von Altanglien in Schleswig. Der ältere Offa wird nun etwa in der Mitte des 4. Jahrh. gelebt haben, etwa um 365 oder 366, während sein Geburtsjahr etwa um 336 anzusetzen sein wird.[2]

---

[1] Vgl. Ettmüller, Beóv. 27. Bouterwek, Haupt's Z. XI, 97.
[2] Vgl. den eben angef. 2. Teil von R. E. Müller: Aung. d.

Und für die in unserem Gedichte erwähnte
Thryðo, der Gemahlin jenes altanglischen
Königs Offa, erhalten wir ebenfalls eine historische
Hauptstütze in einer Erzählung des eben erwähnten Matthaeus Parisiensis aus dem 13.
Jahrh. [1]) „Dieser berichtet uns nämlich, wie
eine Jungfrau Namens Drida von wunderbarer
Schönheit, aber unweiblicher Gesinnung wegen
eines schmachvollen Verbrechens in der Heimat
zum Tode verurteilt, aber begnadigt und einsam
mit nur dürftigen Lebensmitteln versehen auf
einem unbemanten Schiffe ausgesetzt, Wind und
Wellen preisgegeben ward. Nach langer Fahrt,
abgezehrt durch Hunger und Kummer, wird sie
an die Küste des Landes getrieben, in welchem
König Offa herschte. Vor den König geführt,
erzählt sie diesem, durch die Grausamkeit einiger
Unedeln, deren Bewerbung um ihre Hand sie
als unter ihrem Stande zurückgewiesen, sei sie
solchen Gefahren auf den Fluten des Meeres
ausgesetzt worden. Bewegt von ihrem Geschick,
von ihrer jungfräulichen Anmut und von der
Eleganz ihrer Rede übergibt sie der König
seiner eigenen Mutter zur Pflege, in der sie binnen

Saxd. Gram. p. 138. Grein, a. a. O. 281. Leo (Ueber Beóv.
51 u. ö.) nent ihn fälschlich einen jüngeren Zeitgenoszen des
Hygelâc, natürlich seiner eben so falschen Behauptung zu lieb,
wonach er mit der Hygd, der Gemahlin des Hygelâc vermählt
sein soll.

[1]) Wir folgen hier besonders Grein, a. a. O. 282. Vgl.
Heyne, Ausg. d. Beóv. p. 97.

weniger Tage von den Folgen der unseligen
Fahrt sich erholte, nun wider stralend in vollem
Glanze ihrer früheren Schönheit, so dasz sie für
die schönste aller Frauen galt. Aber damit
kehrte zugleich auch die volle Unbändigkeit
ihres Gemütes zurück, und nur zu bald beginnt
sie nach ihrer früheren heimatlichen Gewohnheit
die liebevolle Sorgfalt ihrer Pflegerin mit stolzen
und übermütigen Worten zu vergelten. Als
aber der König, der hiervon nichts erfährt, die
Jungfrau zu trösten komt, wird er so von ihrer
wunderbaren Schönheit ergriffen, dasz er in
heiszer Liebe zu ihr entbrent und sie alsbald
zu seiner Gemahlin erhebt." Trotz der Ab-
weichungen im Einzelnen hat doch der Kern-
punkt der Erzählung unverkenbare Aehnlichkeit
mit dem, was unser Dichter uns von der
unweiblichen Natur der Thryðo vor ihrer Vermählung mit Offa erzählt; Drida und Thryðo
(ahd. Druda, altnord. Þruðr) sind identisch.
Uebrigens ist in unserem Liede in der angeführten Episode eine doppelte Version der Sage
zu erkennen. In dem ersten Teile bis 1945
wird uns die Tryðo auch als Gattin des Offa
als die grausame und unweibliche Herrin geschildert (vgl. 1932: fremu folces — cvên; 1934:
nefne sinfreá; 1940: ne bið svylc cvênlic þeáv);
der andere Teil von 1945 ab., worin ausdrücklich
gesagt wird, dasz sie nach der Vermählung mit
Offa ihren grausamen Sinn geändert und eine

milde, freigebige Herrin geworden sei, stamt
wol nach Müllenhoffs richtiger Vermutung
aus einer abweichenden Version der Sage.[1]
Es ist also die Nachricht desselben Mönches,
wonach jene Drida auch nach ihrer Vermählung
mit Offa ihre frühere Grausamkeit beibehalten
habe, durchaus nicht anzufechten. Anders steht
es freilich mit der Annahme des gelehrten
Mönches, dass nämlich diese Drida die Gemahlin
des jüngeren Offa,[2] der i. J. 755 den
Königsthron von Mercia bestieg, gewesen sei.
Dem im 13. Jahrhundert lebenden Matthaeus
konte eine solche Verwirrung der Verhältnisse
unterlaufen; lag doch jener jüngere Offa, Karls
des Groszen Zeitgenosze und (— wenigstens
eine Zeit lang —) Freund, seiner Zeit näher,
als jene sagenhafte altanglische Persönlichkeit.
Er sagt, jene Drida habe nach ihrer Vermählung
den Namen Cynedrida erhalten, und es liegt
in diesem Namen eine grosze Aehnlichkeit mit
dem der wirklichen Gattin des jüngeren Offa,
Cyneþryd vor, der vielfach die meisten
Freveltaten, die Offa's Regierung verdunkeln,
zugeschrieben werden. Nach dem Tode ihres
Gemahls ereilte sie ein schreckliches Los, indem

---

[1] Haupt's Zeitschr. XIV p. 216. Bugge, Z. f. d. Ph. IV, 207.
Der letztere vergleicht mit unserer Thryðo die von Grundtvig
aus Saxo (p. 156 ed. Müll.) herangezogene Hermuthruda,
von welcher ähnliches erzählt wird.

[2] Ueber die beiden ags. Offa vgl. auch noch Lappenberg,
Gesch. Englands. Hamburg 1834 I, 226 Anm. 1.

sie von Räubern in ihren eigenen Brunnen geworfen worden sein soll.[1] Weiterhin bildete sich nun über sie dieselbe Sage, die eigentlich von der Thryðo, der Gemahlin des älteren Offa galt und ebenfalls wurde auch auf ihren Gemahl die Sage des älteren Offa angewant, dasz nämlich auch er, der in seiner Jugend gelähmt, stumm und blind war, rasche Füsze, Sprache und Gesicht wiedererhalten, als der Usurpator Beornred seine Eltern verfolgte und sein Vaterland unterdrückte.[2] Grade die Aehnlichkeit der Namen Cynepryd und Thryðo, ferner die gleichen Momente in der Jugend der beiden Offa, mag die Veranlaszung gewesen sein, das, was vom älteren Offa erzählt wurde, auf den jüngeren zu übertragen. Uebrigens stamt der Kern der Berichte in unserem Liede, und im Wanderersliede sicherlich noch aus früherer Zeit als die vorliegende Fassung desselben; und wenn wir die letztere dem 8. oder auch 9. Jahrhundert zuschreiben müszen, so ist für die eigentliche Sage unbedingt eine um mehrere Jahrhunderte zurück liegende Existenz entschieden zu beanspruchen.

Eómer (Grein hat Eómor), oder wie Heyne nach Bachlechner schreibt Eómaer ist v. 1960 von Thorpe statt des gänzlich unerklärlichen Geómor substituiert worden.

---

[1] cf. Lappenberg, Gesch. Englands. Bd. I p. 230. 231.

[2] Lappenberg, ebendas. p. 224.

Wir haben bereits oben gesehen, dasz er in den ags. Stammtafeln des 2. Jahrh. Nachfolger des älteren Offa ist, der dazwischen liegende Angenþeóv ist der Sage gänzlich unbekant. Die Behauptung Bachlechner's,[1] die sich auf falsche Erklärung von 1944 gründet, dasz nämlich hier eine Anknüpfung an die Hamletsage sich vorfinde, ist mit Recht auch von Grein zurückgewiesen worden. —

Die beiden Episoden von Heremôd stehen in einem unläugbaren Zusammenhange zu einander, und zwar scheint die erste eine Fortsetzung der zweiten zu sein;[2] auch wird, bei genauerem Zusehen erhellen, dasz an erster Stelle jene Episode durchaus ungeschickt vom Ueberarbeiter eingeschoben worden ist. Wir setzen zunächst beide Episoden hin.

Am Morgen nach Beóvulfs siegreichem Kampfe mit Grendel reiten die Dänenhelden hinaus zu dem schaurigen See, in den der Waszergeist nach Verlust seines Armes mit schon erloschener Kraft geflohen; die Flut walt auf vom Blute, und es war der Wogen grauser Strudel ganz gemischt mit heiszem Rot. Da ward Beóvulfs Ruhm gekündet und mancher sprach, dasz Keiner im Süden und im Norden, zwischen den beiden Seen unter dem Aether,

[1] Pfeiffers Germ. I. 298 ff. Grein, Eberts Jahrb. p. 284.

[2] A. Köhler, Die beiden Episoden von Heremôd im Beóvulfliede. Zeitschr. f. deutsche Phil. II, 314 321.

ein besserer Kämpe wäre und des Reiches
würdiger. Der Sänger pries im Liede des Geáten
kühnes Abenteuer; auch erzählte er etwas von
Siegmund's Heldentaten, des Välsung,
seinen Kampf mit dem Lindwurm, den er mit
dem Schwerte erschlug und dessen Schatz er
erbeutete; dafür gewann er auch Ehre und Ruhm
bei allen Völkern. Nun fährt der Nachdichter
fort:

> Siððan Heremôdes hild sveðrode
> eafoð and ellen, he mit Eotenum vearð
> en feónda geveald forð forlâcen,
> snûde forsended: hine sorhvylmas
> lemede tô lange; he his leódum vearð
> eallum ädelingum tô aldorceare:
> svylce oft bemearn aerran maelum
> sviðferhðes sið snotor ceorl monig,
> se þe him bealva tô bôte gelyfde,
> þät þät þeódnes bearn gepeón scolde,
> fäderäðelum onfôn, folc gehealdan,
> hord and hleóburh, häleða rîce,
> êðel Scyldinga. He þär eallum vearð
> maeg Higelâces manna cynne
> freóndum gefêgra: hine fyren onvôd.

„Seit Heremôd's Kampf nachliesz, seine Kraft
und Stärke, da wurde er bei den Eotenas durch
Verrat in die Gewalt der Feinde gegeben, eiligst
hinweggeführt: ihn lähmten [1] des Kummers

---

[1] lemede; hier praet. sing. statt des plur. Vgl. Dietrich,
Haupt's Z. X, 388.

Wogen zu lange; er ward seinen Mannen, allen
Edelingen zum lebensschweren Kummer: so
beklagte oft in jenen frühen Zeiten manch weiser
Mann des Kühnen Geschick, der von ihm Abhilfe
der Uebel hoffte, dasz [nämlich] des Königs
Sprosz gedeihen solte, des Vaters edle Art
gewinnen, das Volk behüten, den Hort und die
Herscherburg, das Reich der Helden, das Stamland der Scyldinge, Er, der Verwante Hygelâcs
war da allen Freunden, dem Geschlechte der
Männer, erwünschter, jenen [den Heremôd] raffte
der Frevel hinweg (?)."

Vergleichen wir hiermit die zweite Episode
1709—1722:

Mit Grendels Haupt tritt Beóvulf vor
Hrôðgâr und erzählt seine kühne Tat in der
Tiefe des Sees; auch schenkte er ihm den
goldenen Griff seines Schwertes Hrunting (die
Waffe selbst hatte sich verzehrt an dem heiszen
Blute, das aus Grendels Wunde hervorschosz).
Da erhebt der König den Ruhm des Beóvulf:
sein Ruhm werde hingetragen werden zu allen
Völkern, er würde seinem Volke langhin ein
Hort und Trost sein:

Ne veard Heremôd svâ
eaforum Ecgvelan, Ârscyldingum:
ne geveôx he him tô villan, ac tô välfealle
and tô deáðcvealum Deniga leódum;
breát bolgenmôd beódgeneátas,
eaxlgesteallan, ôð þät he âna hvearf

maere þeóden mondreámum from:
þeáh þe hine mihtig god mägenes vyunum
eafeðum stêpte, ofer ealle men
forð gefremede, hväðere him on ferhðe greóv
breósthord blôdreóv, nallas beágas geaf
Denum äfter dôme: dreámleás gebâd,
þät he þäs gevinnes veorc provade,
leódbealo longsum.

„Nicht war Heremôd so den Nachkommen
Ecgvelas, den Ruhm-Scyldingen: er erwuchs
ihnen nicht nach Wunsche, sondern zu blutigem
Falle und zum Tode den Dänenleuten; zorn-
gemut erschlug er die Tischgenoszen, die Ver-
trauten, bis dasz er sich einsam hinwegbegab,
der berühmte König, von den Freuden der
Menschen: obgleich ihn der mächtige Gott durch
die Wonne der Stärke, durch Macht erhöhte,
über alle Menschen weit erhob, so erwuchs ihm
doch im Herzen blutdürstiger Sinn, keineswegs
spendete er den Dänen Ringe der Sitte gemäsz;
freudelos erlebte er, dasz er das Werk seines
Leides erfuhr, den langdauernden, ungeheuern
Jammer.“

Es ist bereits von A. Köhler [1]) dargetan
worden, dasz die erste Episode eine Fortsetzung
der zweiten enthält. „In der letzteren ist von
Heremôds Kargkeit und Blutgier berichtet, und
vorausblickend — wie diesz eine Eigenart der

---

[1]) in der oben angeführten Abhandlung p. 816.

volksmäszigen Dichtung auf späterer Entwicke-
lungsstufe ist — wird der endliche Ausgang
angedeutet. Den wirklichen Eintritt der düsteren
Voraussagung meldet die erstere Stelle 901 f."
Heremôd war grosze Macht und Stärke ver-
liehen, diese hielten ihn noch auf dem Throne,
und die Dänen mögen so lange ihren Unwillen
bezwungen und sein blutgieriges Wüten mit
stummer Wut ertragen haben. Als aber die
verderbliche Saat seiner Grausamkeit blutige
Früchte trug, als die Kampfkraft und Stärke
von ihm wich, da brach der langverhaltne Groll
der Dänen gegen ihn los, und sie jagten ihn
aus dem Lande. Somit handelt die zweite
Episode über Heremôd von Ereignissen, die denen
in der ersten geschilderten in der Zeit voraus-
liegen und deren Voraussetzungen und Vor-
bedingungen bilden; die eine ist ohne die andere
nicht verständlich.

.. Alsdann ist bereits bemerkt worden, dasz
die erste, in gewisser Beziehung schon vor-
greifende Stelle, durchaus ungeschickt angeordnet
und an den verkehrten Ort gekommen ist.
Schon der gänzlich unvermittelte Uebergang
von Siegmund auf Heremôd ist auffallend; der
Sprung von Hygd, Hygelâcs Gemahlin, auf
Thryðo, Offa's Gattin (1931) ist freilich ebenso
unvermittelt und nicht durchaus kunstgemäsz,
aber hier haben wir doch wirkliche Gegensätze:
auf der einen Seite die schönste, edelste

Weiblichkeit, auf der anderen die unweiblichste Härte und Kargheit. Siegmund und Heremôd entsprechen sich aber als Gegensätze durchaus nicht. „Siegmund wird berühmt und geehrt durch gewaltige Kämpfe und den Besitz des groszen Hortes, Heremôd aber stirbt elend und verstoszen von seinen Volksgenoszen. Der Grund dieses kläglichen Endes wird hier nicht angegeben, aus v. 1709 ff. aber erfährt man, dasz Geiz und Blutgier die Gemüter der Dänen von Heremôd abgewendet haben. Das stimt aber durchaus nicht als Gegensatz zu dem eben gepriesenen Siegmund. Denn nicht Milde, Freigebigkeit, Wolwollen werden von ihm gerühmt, die ihm die Liebe und Zuneigung der Menschen erworben hätten, sondern Taten, die zwar imponieren, aber nicht gewinnen, faehðe and fyrene (879), feindliche Gewalttaten; Heldenkraft und Kampfberühmtheit werden aber auch Heremôd in früherer Zeit zugeschrieben.“ (Köhler.) Das scheint der Nachdichter selbst gefühlt zu haben, und er fügt hinzu: der Verwante Higelâcs war da allen Freunden, dem Geschlechte der Menschen erwünschter, jenen (Heremôd) raffte Frevel dahin. Die eigentlichen Gegensätze sind eben Beóvulf und Heremôd, wie es richtig in der zweiten Episode durchgeführt wird. Hrôðgâr rühmt in seiner langen Rede, „jener allegorisierenden Predigt des alten Königs“ (Ettmüller), die Vorzüge

Beóvulf's und fährt dann fort: nicht war Heremôd so.

Es mag diesem letzten Ueberarbeiter des Beóvulf ein altes Lied über Heremôd vorgelegen haben, wie fast über jede der eingelegten Episoden und Stamsagen, und es hat der Umdichter bei der Zusammenstellung der alten Lieder über Beóvulf, soviel ihm aus anderen alten Gesängen über Volkskönige bekant war, eingeflochten, überarbeitet oder nicht, je nach Bedürfnis. Der zweiten Episode gibt er einen etwas christlichen Anstrich, wenn er den alten Heidenkönig sagen läszt, dasz „der mächtige Gott" den Heremôd über alle Menschen erhob.

Was nun sonst die Persönlichkeit des Heremôd betrifft, so läszt uns darüber die Geschichte so ziemlich im dunkeln. Nach den Vermutungen neuerer Forscher [1] gehört er wol nicht zur Dynastie der Scyldinge, sondern geht derselben vielleicht unmittelbar vorher. Vertreten ist er ebenfalls in den uns erhaltenen angelsächsischen Genealogien unter den Nachfolgern des Sceáf [2] (vgl. oben I Cap. 1). In der nordischen Mythologie ist Heremôd bekant als der Sohn, Diener und Bote Odhins, der

---

[1] Grein, Ebert's Jahrb. f. rom. u. engl. Lit. IV, 264. Bouterwek, Pfeiffers Germ. I, 396. Simrock, Uebers. d. Beóv. 172 f. Heyne, Ausg. d. B. 110. Köhler, Zeitschr. f. d. Phil. II, 315.

[2] Vgl. Müllenhoff, Haupt's Z. VII, 412.

wegen B a l d r in die Unterwelt reitet. [1]) Doch
an einer Stelle in der älteren Edda (Hyndlulióð 2
ed. Hildebrand) scheint der Heremôd unseres
Liedes gemeint zu sein, zumal da er wie hier
in Verbindung mit S i e g m u n d gebracht wird:

> Biðjum Herjafoðr   í hugum sitja;
> hann geldr ok gefr   gull verðungu:
> gaf hann Hermóði   hiálm ok brynju,
> en Sigmundi   sverð at þiggja.

„Bitten wir den Heervater in unseren Herzen
zu sitzen; er entgilt und gibt das Gold den
Würdigen: er gab dem Hermôð Helm und
Brünne, und dem Sigmund das Schwert zu
erhalten." [2]) Ferner heiszt es in einer Bemerkung der Kopenhagener Herausgeber der Sae-
mundar Edda zu p. 427 (T. III) in einer
Anmerkung, wo davon die Rede ist, dasz das,
was Heremôð unter den Ansen gewesen,
Helgi der Wilde unter den Menschen gewesen
sei [3]): „Hermodus noster, ut maxime inter Asas
animosus et cum Helgio aspero, Daniae principe,
comparatus (in colloquio Hördi et Ivaris Vid-
fadmi). Deest locus hicce in exemplari Holmiae
1719 edito . . . et in translatione Grundtvigii
Danica . . . . ., quam ob causam originalis
relationis verba, a me aliquando in Islandia e

---

[1]) Vgl. S i m r o c k, Handb. d. deutsch. Myth. 73. 85 u. s. f.,
ferner 298 f.

[2]) Vgl. H o l t z m a n n, Die ältere Edda u. s. w. Leipz. 1875.
p. 275. 282.

[3]) L e o, Ueber Beóvulf p. 46 f.

codice melioris notae transscripta inserere liceat:
Konûngr maelti: hvat var Helgi hinn hvassi
med âsum? Hördr quað: hann var Hermôdr
er best var hugaðr ôk þër ûparfr. Die beiden
letzten Ausdrücke (hugaðr und ûparfr) passen
gut zu Heremôds im Beóvulf angegebenem
Charakter, „der auch voll Kampfkraft ist, und
doch Niemandem zu Frommen." (Leo). Dieser
Helgi, der hier zu Heremôd in Parallele gezogen wird, kann übrigens unmöglich ein und
dieselbe Person sein mit Hrôðgâr's Bruder
Halga, dem Vater Hrôðvulf's, der ja vom
Dichter das Epitheton til (der tüchtige, gute
Halga) bekomt; es musz also wol auf einen
älteren Helgi des angegebenen Charakters geschloszen werden. Ich schliesze meine Bemerkungen über Heremôd mit den Worten Leo's:
„Heremôd war recht das Ideal eines deutschen
Fürsten, wie er nicht sein solte. Gott fördert
ihn in Freud und Leid; er aber behandelt seine
Gefolgsleute karg und grausam, an seinem Hofe
ist's trübselig und langweilig; alle verlaszen ihn,
bis er zuletzt fast allein den Eoten (?), die ihm
im Kampfe begegnen, unterliegt."[1] —

Die sprachlich und sachlich schwierigste
Stelle in unserem Gedichte ist unstreitig der
Ueberfall in Finnsburg (1068—1159), und
es dürfte überhaupt fast unmöglich sein, das

---

[1] Der Name ist im Mittelalter sehr häufig. Förstemann,
Namenb. I, 628.

Dunkel, welches über den Vorgang selbst und die daran beteiligten Personen gebreitet ist, zu hellen. Wir laszen zunächst eine genaue deutsche Uebersetzung jener Episode folgen und schlieszen an sie an die Uebertragung eines Bruchstücks über den Ueberfall in Finnsburg, welches, mit unserer Episode in engem Zusammenhang stehend, zuerst von Hickes aufgefunden und in seinem Thesaurus linguarum septentrionalium (I, 192) mitgeteilt worden ist, jetzt abgedruckt zu lesen in den meisten Ausgaben unseres Liedes.

Beóvulf der Grendeltöter wird vom Dänenkönige reich beschenkt und mit Ehren überhäuft; auch seinen Mannen gab der letztere Kleinode in der Halle, Gesang und Musik erschollen im Trinksale, und der Scôp Hróðgâr's begann das Lied „von Finns Nachkommen, als der Ueberfall sie traf, wie der Held Halfdene's, Hnäf der Scyldinge, in Fresväle fallen solte.[1] Gewis nicht durfte Hildeburh[2] die Treue ihrer Feinde[3] loben; ohne Schuld war sie beraubt im Kampfe der lieben Söhne und Brüder; sie

---

[1] Nach Grundtvig soll die Handsch. Fr . . s väle haben; doch sagt er selbst in einer Bemerkung (p. 199): In der Handschr. kann, wie mir scheint sowol Fersväle als Fresväle gestanden haben, cf. Bugge, Zeitschr. f. d. Ph. IV, 204.

[2] die Tochter Hôce's, Verwante des Dänenführers Hnäf, Gemahlin des Friesenkönigs Finn.

[3] Ueber die botenas vgl. oben I, Cap. 2. Hier sind die Dänen gemeint; auf ihre Treue hatte die Friesenkönigin gegründeten Anspruch, da sie ihnen ja von Geburt angehörte. Vgl. Rieger, Zeitschr. f. d. Phil. III, 400.

verfielen dem Schicksal, vom Speere verwundet:
das war ein jammervolles Weib. Nicht ohne
Grund beklägte die Tochter Hôce's ihr Geschick,
als sie, nachdem der Morgen gekommen, unter
dem Aether sehen konte der Verwanten Mord-
unglück, an denen sie am meisten auf der Welt
Wonne hatte. Der Streit raffte sie alle dahin,
die Degen des Finn, auszer einigen wenigen,
so dasz er nicht vermochte auf der Walstatt
mit Hengest zu kämpfen, noch auch die Unglückstrümmer im Kampfe dem Degen des Königs
zu entreiszen [d. h. dem Hengest, Hnäf ist
ja bereits gefallen]; [1]) aber sie boten ihnen einen
Vertrag, dasz sie ihnen [2]) eine andere Halle
vollständig einräumten, Halle und Hochsitz,
dasz sie [die Dänen] die Gewalt über die halbe
[sc. Halle] haben musten gegen die Mannen
der Feinde [der Friesen], und dasz Folcvald's
Sohn mit Schatzgaben an jedem Tage die Dänen
ehren solte, die Schaar des Hengest, mit Ringen
zieren, ebensosehr mit Schatzkleinodien getriebenen Goldes, als er der Friesen Geschlecht
im Biersale ermutigen wolte. Da gelobten sie

---

[1]) Obgleich dieser nach Grein und Heyne gegebene Sinn
völlig klar und sachgemäsz erscheint, so musz ich doch mit
Rieger (Zeitschr. f. d. Ph. III, 394) gestehen, dasz die Ausdrucks-
weise höchst unpassend ist. Aber Riegers Vorschlag: viht Hengeste
við gefeohtan kann ich nicht verstehen.

[2]) d. i. die Schaar des Hengest (Dänen) bot den Friesen einen
Vertrag, wonach die letzteren ihnen einen anderen Sal einräumen
solten; him scheint in beiden Fällen dat. plur. zu sein.

feierlichst gegenseitig festen Friedensvertrag;
Finn beschwor es dem Hengest [1] fest und
unbestreitbar, dasz er die Unglückstrümmer
[den Rest der Dänen] nach dem rechtlichen
Urteile der Witen in Ehren halten solte, dasz
da [2] kein Mann mit Worten oder mit Werken
den Vertrag bräche, nicht dnrch Hinterlist
jemals verletze, obwol sie ihres Ringespenders
Mörder folgten, die ihres Kriegsherrn beraubten,
da ihnen so die Notwendigkeit auferlegt war:
wenn aber irgend einer von den Friesen durch
verwegene Rede die blutige Feindschaft in die
Erinnerung zurückrufen würde, dann es des
Schwertes Schärfe rächen solte. Der Eid war
geleistet und reiches Gold aus dem Schatze erhoben. Der beste [3] der Heerscildinge, der
Kampfhelden, war für den Scheiterhaufen bereitet; auf dem Scheiterhaufen war leicht zu
sehen die blutbedeckte Brünne, das Schwein
ganz von Golde, der eisenharte Eber; mancher
Edeling, von Wunden getötet, mancher war im
Kampfe gefallen! Da liesz Hildeburh auf Hnäfs
Scheiterhaufen ihre eigenen Söhne [4] an dem

---

[1] nicht wie Leo (Ueb. Beóv. p. 82) übersetzt: F. liesz den H.
schwören. benemnan ist: feierlich (invocando) anrufen.

[2] Das „da“ ist zu betonen: dasz aber auch auf der anderen
Seite, nämlich der Dänen, nun auch nichts geschehen solte
gegen den Vertrag, wenngleich es ihnen schwer fallen möchte,
dem Finn zu huldigen, der ihren König, den Hnäf ihnen erschlagen.

[3] d. i. Hnäf.

[4] Ich möchte mit Thorpe und Rieger suna lesen.
Heyne's frühere Auffaszung, dasz Hildeburh zur Sühne ihren

flammenden Brande befestigen, den Körper ver-
brennen und zum Feuer bringen: das arme Weib
klagte an der Achsel, jammerte in Klageliedern.
Aufstieg der Kampfrauch, [1] es wand sich zu
den Wolken der Schlachtfeuer gröstes, hallte
vor dem Hügel; die Häupter wurden verzehrt,
die Wunden barsten, dann entsprang das Blut
der Wunde (dem Leidbisz) des Leibes. Alle
nahm die Flamme hinweg, der Geister gierigster,
sie alle, die der Kampf dahingerafft von beiden
Völkern, ihre Blüte war dahin. —

Die Krieger giengen da nach Hause der
Freunde beraubt, Friesland zu sehen, die Häuser
und die Herscherburg. Hengest blieb da, den
blutgetränkten Winter bei Finn, ganz mit ihm
vereinigt, [2] er gedachte der Heimat, obgleich
er nicht konte über das Meer steuern den
gewundenen Steven: die Flut schwoll vom
Sturme, kämpfte wider den Wind; der Winter
schlosz die Wogen ein mit Eisgebinde, bis dasz
ein anderes Jahr kam in die Behausungen, wie
es jetzt noch tut, wenn es ständig gute Zeit
verbreitet, das glanzhelle Wetter. Da war der

---

lebenden Sohn verbrant habe, ist mit Recht zurückgewiesen
von Bugge, Tidkr. f. Philol. og. Paedag. 8 p. 50 f. Vgl. Rieger,
Zeitschr. f. d. Phil. III, 395.

[1] gûðreóc Grein nach Grundtvig's Angabe, dasz im MS.
gûðriuc gelesen werde. gûðriuc die Edd., was keinen passenden
Sinn gibt.

[2] unhlitme hat das MS. Danach Heyne: alles unhlytme,
ganz von ihm ungetrent. elnê unflitme Rieger, Grein.

Winter geschwunden, lieblich der Erde Schosz,
da strebte der Recke, der Gast, weg von den
Behausungen; er dachte eher an Rache als an
die Seefahrt, ob er feindlichen Kampf erzielen
könte, dasz er es den Kindern seiner Feinde
gedächte. So widerstand er nicht dem Welt-
schicksal, als ihm Hûnlâfing die Kampfesflamme,
der Schwerter bestes in den Busen senkte, [1)]
des waren wol kund bei den Feinden [2)] die
Schwertschneiden. Auch den schlachtkühnen
Finn ergriff darauf das totbringende Schwert-
unglück in der eigenen Burg, als Gûðlâf und
Oslâf in grimmen Angriff nach der Seefahrt des
Schmerzes gedachten, ihren Teil des Wehes [3)]
rügten; nicht konte das verlöschende Leben
sich zurückhalten in der Brust. Da war die
Halle bedeckt mit den Leichen der Feinde, auch
Finn ward erschlagen der König in der Schaar,
und sein Weib [Hildeburh] gefangen. Die
Krieger der Scildinge führten zu den Schiffen
alles Gut des Erdkönigs, was in Finn's Haus
sie finden konten, Schmuck und Edelgestein.
Auf der Seebahn sie die edle Frau zu den
Dänen entführten, zu ihren Mannen leiteten." —

[1)] So ist entschieden zu erklären mit Heyne und Grein
(vgl. den letztgenanten in Ebert's Jahrb. f. rom. u. engl. Lit.
IV, 271); Riegers Auseinandersetzung (Zeitschr. f. d. Phil.
III, 396 ff.) ist mir nicht recht verständlich.

[2)] Hier wie auch oben übersetze ich eotena u. s. w. durch
„Feinde" nach Rieger, a. a. O. 400 f. Vgl. oben I, Cap. 2.

[3)] d. i. ihren Anteil an dem Weh der Ihrigen. (?)

Eine wesentliche Lücke füllt hier aus das oben erwähnte Bruchstück vom Ueberfall in Finnsburg, welches einen der Kämpfe in der Finnsburg beschreibt, wahrscheinlich den ersten im Beóvulf angedeuteten, und es werden schon hier die Helden Ordlâf und Guðlâf als Kämpfer neben Hengest erwähnt: sie kämpfen 60 an der Zahl tapfer und halten fünf Tage die von ihnen besetzten Tore, ohne dasz einer fällt. Das Bruchstück schlieszt mit dem Falle des Hnäf, denn der ist wol mit dem zuletzt erwähnten wunden Krieger gemeint. Von den in dem Bruchstücke sonst genanten Helden sind wie bemerkt dem Beóvulflied bekant Guðlâf und Ordlâf (Beóv. Oslâf), die nach unserem Liede ja auch später den Rachezug übernehmen. Andere dort erwähnte Helden, Sigeferð, Eaha, Gârulf und Gûðere kent das Beóvulflied nicht.

Der Zusammenhang der gesamten Erzählung ist hiernach folgender.

Auf der Burg des Finn in Friesland [1]) befindet sich der Hôcing Hnäf, wahrscheinlich der Bruder der Hildeburh, der Gattin des Finn. Er ist Lehnsmann des Dänenkönigs Healfdene und führt ein Häuflein von 60 Kriegern mit sich. Treuloser Weise werden die Helden von den Friesen überfallen, halten sich aber tapfer fünf Tage lang gegen ihre Feinde;

---

da fällt Hnäf, und Hengest wird Anführer der
Dänen. Aber auch unter Finns Mannen hat
der Tod furchtbare Ernte gehalten, Hildeburh
beklagt unter den Toten Söhne und Brüder als
Gefallene, so dasz ihr Gemahl (Finn) sich veranlaszt sieht, Hengest einen Vergleich anzubieten,
der denn auch beschloszen und beschworen wird;
die Leichen des gefallenen Hnäf und der getö-
teten Söhne der Hildeburh werden feierlich
verbrant. Hengest bleibt nun noch den Winter
hindurch bei Finn, durch Eis und winterliche
Stürme an der Heimfahrt verhindert. Im Früh-
jahre wird der Held, der mehr an die Rache
als an die Heimfahrt denkt, von einem Friesen
(Hûnlâfing) erschlagen, unter welchen Verhältnissen, bleibt dunkel, sowie auch, „ob Hengest
erst wirklich die Heimfahrt vollbrachte und dann
mit neuer Hülfe zurückkehrte, oder ob er noch
vor der Abfahrt den unglücklichen Racheversuch
wagte, der ihm das Leben kostete, so dasz dann
erst nach seinem Falle seine Gefährten Gûðlâf
und Oslâf aus der Heimat Hülfe holten: eher
scheint jedoch das letztere der Fall gewesen zu
sein." [1] Diese seine Gefährten nun rächen den
Fall ihres Führers, Finn wird in seiner eigenen
Burg erschlagen, die Königin gefangen genommen
und samt den erbeuteten Schätzen zu den Dänen
geführt.

---

[1] Grein, a. a. O. 271.

Eine weitere Andeutung von dem in unserer Erzählung geschilderten Vorgange finden wir nun weder in der Sage noch der Geschichte; wol aber begegnet uns noch der Name des Finn. In einer bereits oben (i. vor. Cap.) angeführten Stelle des Wanderersliedes 27 heiszt es:

Fin Folcvalding [veóld] Fresna cynne.

So heiszt er ja auch in unserem Liede der Sohn des Folcvalda (1089). Er gebietet über die Friesen, d. i. die Nordfriesen, etwa die Frisiavones des Tacitus, die an der Westküste Schleswigs und auf den Nordseeinseln wohnten (vgl. das vor. Cap.). Folcvald und sein Sohn Finn sind auch in den angelsächsischen Königslisten als Vorfahren Vôdens aufgeführt: auf Geát folgt Folcvald (in einigen Quellen Goldvulf), auf ihn Finn. In der älteren Edda nun (Skirnismâl 3) heiszt der Gott Freyr: folcvald goða, d. i. Volkwaltender der Götter; so dürfte Folcvald am Ende nichts weiter sein als eine Bezeichnung dieses Gottes, wie auch einige folgende Namen in der ags. Genealogie: Friðovulf, Freávine, Freálâf, Friðuvald.[1]) Und auch Finn wäre hiernach mythisch zu deuten, und Finn Folcvalding wäre aus einer Hypostasie des Gottes Freyr der friesische Stamgott geworden. So zieht auch

---

[1]) Vgl. Rieger, Haupt's Z. XI, 200. Simrock, Handb. d. deutsch. Myth. 3. Aufl. p. 316. Ettmüller, Beóv. 10. 19. Müllenhoff, Haupt's Z. VII, 412.

Müllenhoff[1]) den Namen Finn = Figus zu
fëhôn, placere, welcher Name selbst eine Bezeichnung des Gottes Freyr ist. Im Epos nun
wird Finn der Beherscher der Friesen und der
Mittelpunkt der Nordseesage, er ist von dieser
dann in den Mythus übergegangen. Sein Name,
aus einer deutschen Mundart schwerlich erklär-
bar, ist haften geblieben in dem Namen des
bekanten Volkes der Finnen, welche Bezeichnung diesem Volke wahrscheinlich von den Skandi-
naviern gegeben, also gewis deutsch ist; sie
bilden die vorgermanische Bevölkerung Skandi-
naviens [2]) und erscheinen in späterer geschichtlicher Zeit nicht als selbständiges Volk mehr
in der Reihe der Nationen des Nordens.
Tacitus (Germ. 46) führt sie auf unter dem
Namen Fenni, und weisz nicht, ob er sie den
Germanen oder den Sarmaten zuweisen soll;
er beschreibt alsdann im Verlaufe des Capitels
die von der der Germanen so verschiedene
Lebensweise dieses armen Fischer- und Jäger-
volkes. Sie haben im Altertume etwa die ganze
Küste des Nordmeeres inne bis zum Uralgebirge,
und richtig, scheint es, deutet Zeusz [3]) ihren
Namen aus dem got. fani, ahd. fanni, fenni,

---

[1]) Schmidt's Zeitschr. f. Gesch. 8, 239. Haupt's Z. XI, 281.

[2]) Vgl. auch Diefenbach, Origines Europ. 193.

[3]) Die Deutsch. u. d. N. 272 Anm. Ettmüller, Beóv. p. 19
erinnert an das von Graff Alth. Spr. III, 126 verzeichnete fenna,
venna, septum ad intercipiendos pisces; „als Fischer laszen sich
die Friesen gar wol denken."

Sumpf, Moor; „Finni ist also deutsche Bezeich-
nung des groszen Nordstammes nach seinen
Sitzen an zahlreichen Sümpfen und Seen."
Oestlich von der Weichsel nach den *Γύθωνες*
denkt sich wol verfehlt Ptolemaeus (III, 5) seine
Φίννοι, richtiger placiert Jornandes (c. 3. fin.)
seine „Finni mitissimi" in Scandza nach den
Ostrogothae und Raumariciae.

. Das Finnaland, welches im Beóv. 580
erwähnt wird, scheint nicht grade in dem jetzigen
eigentlichen Finnland zu suchen zu sein. In dem
Wettschwimmen mit Brecca erreicht dieser das
Land der Heaðoreámas d. i. Raumarîki in Norwegen, Beóvulf dagegen Finnaland. Thorpe
hat nun eine Notiz beigebracht aus Petersen,
Danmarks historie i Heldenold I, 36, welche
die Lage dieses Landes zwischen Gotland und
Smaland wahrscheinlich macht, woselbst sich
noch ein Finnholz befinden soll. [1])

---

[1]) Vgl. Thorpe's Ausg. d. Beóvulf p. 317. Heyne, Beóv.
Ind. p. 109 v. Finnland. Vgl. oben p. 141. — Ueber den Hôcing
Hnäf war schon oben (I, Cap. 2) gehandelt worden.

Namen-Register.

Druck. A. Hopfer. Burg.

www.ingramcontent.com/pod-product-compliance
Lightning Source LLC
LaVergne TN
LVHW051205190726
843642LV00005B/1545